QUE SAIS-JE ?

L'herméneutique

JEAN GRONDIN
Professeur à l'Université de Montréal

À la mémoire de mon père,
le Dr Pierre Grondin (1925-2006)

ISBN 2 13 055524 1

Dépôt légal — 1re édition : 2006, mars

6, avenue Reille, 75014 Paris

Introduction

CE QUE PEUT ÊTRE L'HERMÉNEUTIQUE

La koinè relativiste de notre temps ? – Il y a quelque temps, Jean Bricmont et Alan Sokal ont monté un canular afin de dénoncer le charlatanisme qui sévit souvent, selon eux, dans les sciences humaines. Ils ont soumis un article rempli d'absurdités à la revue américaine *Social Text,* titre qui suggère un peu que toute production culturelle ou scientifique peut être considérée comme un simple « texte social », donc comme une interprétation ou une construction idéologiques. L'article se proposait de démontrer que la physique quantique, malgré sa prétention à l'objectivité, n'était elle-même qu'une construction sociale. Truffé de références aux équations d'Einstein, mais aussi aux maîtres les plus éminents de la « déconstruction » (dont Lacan et Derrida), l'article fut accepté et publié. Les auteurs ont aussitôt rendu publique la supercherie, qui a suscité de nombreux remous en France[1].

Si cette polémique peut nous servir ici de point de départ, c'est uniquement parce que le terme d'« herméneutique » figurait dans le titre de l'article qui a été soumis à la revue : « Transgresser les frontières : vers une herméneutique transformative de la gravitation quantique ». Que l'on se rassure, l'idée jargonnante

1. J. Bricmont et A. Sokal, *Impostures intellectuelles,* Odile Jacob, 1997.

d'une « herméneutique transformative » ne renvoie à rien de très précis. Mais en s'autorisant du terme d'herméneutique, les auteurs reprenaient un terme à la mode qui sert parfois à décrire la pensée contemporaine « postmoderne » et relativiste, celle-là même que Bricmont et Sokal cherchaient à dénoncer.

Car c'est bien là l'un des sens possibles du terme d'herméneutique que de désigner un espace intellectuel et culturel où il n'y a pas de vérité parce que tout est affaire d'interprétation. Cette universalité du règne interprétatif a trouvé sa première expression dans le mot foudroyant de Nietzsche : « Il n'y a pas de faits, mais seulement des interprétations. »[1] C'est de cette herméneutique relativiste que Gianni Vattimo a pu dire qu'elle était la *koinè*, la langue commune, de notre temps[2].

Et pourtant, comme nous n'aurons de cesse de le rappeler, cette conception se trouve aux antipodes de ce qu'a toujours voulu être l'herméneutique, c'est-à-dire une doctrine de la vérité dans le domaine de l'interprétation. L'herméneutique classique a en effet voulu proposer des règles afin de combattre l'arbitraire et le subjectivisme dans les disciplines qui ont affaire à l'interprétation. Une herméneutique vouée à l'arbitraire et au relativisme incarne par conséquent le plus entier des contresens. Néanmoins, le parcours qui mène de cette conception classique à l'herméneutique « postmoderne » n'est pas dépourvu de logique. Il va de pair avec un élargissement certain du domaine de l'interprétation, mais dont il n'est pas sûr qu'il conduise nécessairement au relativisme postmoderne.

1. F. Nietzsche, *La volonté de puissance*, n° 481.

2. G. Vattimo, L'herméneutique comme nouvelle *koinè*, *Éthique de l'interprétation*, La Découverte, 1991, 45-58.

Trois grandes acceptions possibles de l'herméneutique. – Au sens le plus restreint et le plus usuel du terme, l'herméneutique sert aujourd'hui à caractériser la pensée d'auteurs comme Hans-Georg Gadamer (1900-2002) et Paul Ricœur (1913-2005) qui ont développé une philosophie universelle de l'interprétation et des sciences humaines qui met l'accent sur la nature historique et linguistique de notre expérience du monde. En aval, ces pensées ont marqué une large part des grands débats intellectuels qui ont jalonné la seconde moitié du XXe siècle (structuralisme, critique des idéologies, déconstruction, postmodernisme), réceptions qui font donc aussi partie de ce que l'on peut appeler la pensée herméneutique contemporaine. En amont, les pensées de Gadamer, Ricœur et de leurs héritiers se réclament souvent de la tradition plus ancienne de l'herméneutique où celle-ci ne désignait pas encore une philosophie universelle de l'interprétation, mais seulement l'art d'interpréter correctement les textes. Mais comme cette conception plus ancienne reste toujours présupposée et discutée par l'herméneutique plus récente, il faut en tenir compte dans une présentation d'ensemble de l'herméneutique. On peut ainsi distinguer trois grandes acceptions possibles de l'herméneutique, qui se sont succédé au fil de l'histoire, mais qui restent, à part entière, des intelligences tout à fait actuelles et défendables de la tâche herméneutique.

1 / Au sens classique du terme, l'herméneutique désignait autrefois *l'art d'interpréter les textes*. Cet art s'est surtout développé au sein des disciplines qui ont affaire à l'interprétation des textes sacrés ou canoniques : la théologie (qui a élaboré une *hermeneutica sacra*), le droit *(hermeneutica juris)* et la philologie *(hermeneutica profana)*. L'herméneutique jouissait alors

d'une fonction *auxiliaire* en ce qu'elle venait seconder une pratique de l'interprétation, qui avait surtout besoin d'un secours herméneutique lorsqu'elle avait affaire à des passages ambigus *(ambigua)* ou choquants. Elle possédait une visée essentiellement normative : elle proposait des règles, des préceptes ou des canons permettant de bien interpréter les textes. La plupart de ces règles étaient empruntées à la rhétorique, l'une des sciences fondamentales du *trivium* (avec la grammaire et la dialectique) et au sein de laquelle on trouvait souvent des réflexions herméneutiques sur l'art d'interpréter. C'est le cas chez Quintilien (30-100), qui traite de l'*exegesis (enarratio)* dans son *De institutione oratoria* (I, 9), mais surtout chez Augustin (354-430) qui a rassemblé des règles pour l'interprétation des textes dans son traité sur *La doctrine chrétienne* (396-426) qui a marqué toute l'histoire de l'herméneutique[1]. Cette tradition a connu un important renouveau dans le protestantisme qui a fait naître plusieurs traités d'herméneutique, inspirés pour la plupart de la *Rhetorica* (1519) de Melanchton (1497-1560). Cette tradition qui fait de l'herméneutique une discipline auxiliaire et normative dans les sciences qui pratiquent l'interprétation, s'est maintenue jusqu'à Friedrich Schleiermacher (1768-1834). Si ce dernier fait encore partie de cette tradition, son projet d'une herméneutique plus universelle annonce une seconde conception de l'herméneutique qu'inaugurera surtout Wilhelm Dilthey (1833-1911).

2 / Dilthey connaît bien la tradition plus classique de l'herméneutique, et qu'il présuppose toujours, mais il l'enrichit d'une tâche nouvelle : si l'herméneutique

1. Augustin, *La doctrine chrétienne,* Institut d'études augustiniennes, 1997.

se penche sur les règles et les méthodes des sciences de la compréhension, elle pourrait servir de fondement méthodologique à toutes les sciences humaines (les lettres, l'histoire, la théologie, la philosophie, et ce que l'on appelle aujourd'hui les « sciences sociales »). L'herméneutique devient alors une *réflexion méthodologique sur la prétention de vérité et le statut scientifique des sciences humaines*. Cette réflexion s'élève sur la toile de fond de l'essor qu'ont connu les sciences pures au XIXe siècle, succès largement attribué à la rigueur de leurs méthodes et en regard desquelles les sciences humaines apparaissent assez déficientes. Si les sciences humaines veulent devenir des sciences respectables, elles doivent reposer sur une méthodologie qu'il incombe à l'herméneutique de porter au jour.

3 / La troisième grande conception est assez largement née en réaction à cette intelligence méthodologique de l'herméneutique. Elle prend la forme d'une *philosophie universelle de l'interprétation*. Son idée fondamentale (préfigurée chez le dernier Dilthey) est que la compréhension et l'interprétation ne sont pas seulement des méthodes que l'on rencontre dans les sciences humaines, mais des processus fondamentaux que l'on retrouve au cœur de la vie elle-même. L'interprétation apparaît alors de plus en plus comme une caractéristique essentielle de notre présence au monde. Cet élargissement du sens de l'interprétation est responsable de l'avancement dont a bénéficié l'herméneutique au XXe siècle. Cet avancement peut se réclamer de deux parrains : un parrain anonyme en Nietzsche (anonyme car il n'a pas beaucoup parlé d'herméneutique) et sa philosophie universelle de l'interprétation, et un parrain plus affiché en Heidegger, même si ce dernier défend une conception bien particulière de l'herméneutique, en rupture avec l'herméneutique classique et

méthodologique : pour lui, l'herméneutique n'a pas d'abord affaire à des textes, mais à l'existence elle-même qui est déjà pétrie d'interprétations, mais qu'elle peut tirer au clair. L'herméneutique se trouve alors mise au service d'une philosophie de l'existence, appelée à s'éveiller à elle-même. On passe ici d'une « herméneutique des textes » à une « herméneutique de l'existence ».

La plupart des grands représentants de l'herméneutique contemporaine (Gadamer, Ricœur et leurs héritiers) se situent dans le sillage de Heidegger, mais n'ont pas vraiment suivi sa « voie directe » d'une philosophie de l'existence. Ils ont plutôt choisi de reprendre le dialogue avec les sciences humaines, plus ou moins délaissé par Heidegger. Ils ont ainsi renoué avec la tradition de Schleiermacher et Dilthey, mais sans souscrire à l'idée que l'herméneutique était d'abord investie d'une fonction méthodologique. Leur propos est plutôt de développer une meilleure herméneutique de sciences humaines, délestée du paradigme exclusivement méthodologique, qui rende mieux justice à la dimension langagière et historique de la compréhension humaine. En épousant la forme d'une philosophie universelle de la compréhension, cette herméneutique finit par quitter le terrain d'une réflexion sur les sciences humaines et élever une prétention universelle. On verra ici que cette universalité peut revêtir plusieurs formes.

Chapitre I

LA CONCEPTION CLASSIQUE DE L'HERMÉNEUTIQUE

Le terme d'*hermeneutica* n'a vu le jour qu'au XVIIe siècle quand le théologien strasbourgeois Johann Conrad Dannhauer l'a inventé pour nommer ce qui s'appelait avant lui l'*Auslegungslehre (Auslegekunst)* ou l'art de l'interprétation. Dannhauer fut aussi le premier à utiliser le terme dans le titre d'un ouvrage, dans son *Hermeneutica sacra sive methodus exponendarum sacrarum litterarum* de 1654, titre qui résume à lui seul le sens classique de la discipline : l'herméneutique sacrée, entendons la *méthode* pour interpréter (*exponere :* exposer, expliquer) les textes sacrés. S'il est besoin d'une telle méthode, c'est que le sens des Écritures n'est pas toujours clair comme le jour. L'*interprétation (exponere, interpretari)* est ici la méthode ou l'opération qui permet d'accéder à la *compréhension* du sens, à l'*intelligere.* Il est important de bien retenir ce lien de finalité entre l'interprétation et la compréhension, car ces termes prendront parfois des sens assez différents dans la tradition herméneutique ultérieure, chez Heidegger notamment.

Le terme d'*interprétation* vient du verbe grec *hermeneuein,* qui a deux sens importants : le terme désigne à la fois le processus d'élocution (énoncer, dire, affirmer quelque chose) et celui de l'interprétation (ou de traduction). Dans les deux cas, on a affaire à une transmission de sens, laquelle peut s'opérer dans deux directions : elle peut 1 / aller de la pensée au discours, ou 2 / remonter du discours à la pensée. Nous ne parlons aujourd'hui d'interprétation que pour caractériser le second processus, qui remonte du discours à la pensée qui se trouve derrière, mais les Grecs pensaient déjà l'élocution comme un processus « herméneutique » de médiation de sens, qui désigne alors l'expression ou la traduction de la pensée en mots. Le terme d'*hermeneia* sert d'ailleurs à nommer l'énoncé qui affirme quelque chose. Le second livre de l'*Organon* d'Aristote, consacré à l'énoncé, est un *Peri hermeneias*, que l'on a traduit en latin par *De interpretatione*.

Il n'y est bien sûr pas question de l'interprétation au sens où nous l'entendons, c'est-à-dire comme l'explication du discours qui retourne à sa volonté de sens, mais au contraire des composantes de l'élocution elle-même, déjà comprise comme transmission de sens. Mais si l'intelligence grecque du terme est éclairante, c'est qu'elle nous aide à voir que le processus d'interprétation doit ni plus ni moins qu'inverser l'ordre de l'élocution, celui qui va de la pensée au discours, du « discours intérieur » *(logos endiathetos)* au « discours extérieur » *(logos prophorikos)*, comme le diront superbement les stoïciens.

On peut donc distinguer ici l'effort *herméneutique* d'explication de sens, qui remonte du discours extérieur vers son intérieur, de l'effort *rhétorique* d'expression qui précède la tâche proprement herméneutique et lui donne tout son sens : on ne peut vouloir interpréter une expression afin d'en comprendre le sens que parce que l'on présuppose qu'elle veut dire quelque chose, qu'elle est l'expression d'un discours intérieur.

Ce n'est donc pas un hasard si les principales règles herméneutiques ont le plus souvent été tirées de la rhétorique, l'art de bien dire, qui se fonde sur l'idée que la pensée que l'on cherche à communiquer doit être présentée de manière efficace dans le discours. C'est le cas notamment de l'importante règle herméneutique du tout et des parties, selon laquelle les parties d'un écrit doivent être comprises à partir du tout que constitue un discours et de son intention générale, qui est l'inversion de ce que Platon présente comme une règle de composition rhétorique dans son *Phèdre* (264 *c*) : un discours doit être composé comme un organisme vivant où les parties sont agencées au service du tout. Il va de soi que l'herméneute doit bien connaître les grandes figures de discours, les « tropes » de la rhétorique, s'il veut interpréter correctement les textes. Les grands théoriciens de la conception classique de l'herméneutique ont presque toujours été des professeurs de rhétorique.

C'est le cas de saint Augustin, qui a lui-même été fortement marqué par la rhétorique de Cicéron. Avant d'être le théoricien de l'interprétation, il en a été le praticien. On trouve chez lui plusieurs interprétations *(expositiones)* des textes sacrés, surtout des *Épîtres* et de la *Genèse,* et déjà dans les *Confessions* (dont les trois derniers livres proposent une interprétation des premiers versets de la *Genèse*). Dans son commentaire littéral de la *Genèse,* il reprend la doctrine classique, remontant à Origène (v. 185-254) et Philon d'Alexandrie (v. 13-54), selon laquelle l'Écriture comporterait un quadruple sens : « Dans tous les livres saints, il importe de distinguer les vérités éternelles qui sont inculquées *(aeterna),* les faits qui sont racontés *(facta),* les événements à venir *(futura),* les règles d'actions *(agenda)* qui sont prescrites ou conseillées. »[1]

1. Augustin, *La genèse au sens littéral,* t. I, Desclée, 1972, 83.

Mais pour comprendre ces vérités, ces faits, les événements à venir et les maximes d'action, il est besoin de certaines règles *(praecepta)* d'interprétation qu'Augustin présente dans son *De doctrina christiana.* Son principe de base est que toute science a affaire ou bien à des choses *(res),* ou bien à des signes *(signa).* Il faut bien sûr reconnaître une priorité à la chose sur les signes, car la connaissance des signes présuppose nécessairement celle de la chose désignée par eux. Le premier livre de la *Doctrina christiana* sera ainsi consacré à l'exposition de la « chose » qui veut être présentée dans le texte biblique, à savoir le récit de la création fondée dans le Dieu trinitaire et le salut qu'il propose.

Augustin distingue alors deux types de choses, celles dont on jouit pour elles-mêmes *(frui),* qui ont leur fin en elles-mêmes, et celles que l'on utilise *(uti)* pour une autre fin. Seules les choses éternelles offrent une réelle jouissance et leur connaissance correspond au Souverain Bien, au *summum bonum.* Selon Augustin, le but de l'Incarnation était précisément d'enseigner cette différence, qui s'exprime dans le principe de l'amour (qui est d'abord celui de Dieu pour sa créature). Augustin en tire un premier principe herméneutique : il faut interpréter tous les textes en fonction de ce commandement d'amour, qui renvoie tout ce qui est changeant à ce qui est immuable.

Les *dicta* (dits) et *signa* (signes) de l'Écriture doivent être compris en vue de cette *res* essentielle. Mais pour comprendre en quoi les signes renvoient à cette *res,* il est nécessaire d'étudier les sciences, notamment la grammaire et la rhétorique. La rhétorique nous enseigne ainsi à discerner les tropes, les figures de style de la Bible, et à distinguer le sens propre du sens figuré. Les règles, d'inspiration rhétorique, de la *Doc-*

trina christiana ont servi de fondement à toute l'exégèse médiévale. Largement reprises par les premiers grands théoriciens de l'herméneutique protestante (Melanchton, Flacius, Dannhauer), elles se sont maintenues jusqu'à Schleiermacher, où l'herméneutique commence à acquérir une nouvelle ampleur.

Chapitre II

L'ÉMERGENCE D'UNE HERMÉNEUTIQUE PLUS UNIVERSELLE AU XIXe SIÈCLE

I. – Friedrich Schleiermacher (1768-1834)

Contemporain des grands penseurs de l'idéalisme allemand, Fichte, Hegel et Schelling, mais plus proche du romantisme de Friedrich Schlegel, Schleiermacher était à la fois un grand philologue, un théologien majeur, un philosophe et un théoricien de l'herméneutique. À titre de philologue, il a traduit l'intégralité des dialogues de Platon en allemand, pour lesquels il a rédigé d'importantes introductions qui ont marqué les études platoniciennes jusqu'à ce jour. Mais c'est avant tout en théologie qu'il a fait carrière. Après avoir publié ses puissants discours *Sur la religion* en 1799, où il défend l'idée que la foi exprime un sentiment de dépendance totale (suivant une lecture subjectiviste qui caractérisera par ailleurs sa théologie, mais aussi son herméneutique), il a été nommé professeur de théologie à Halle, en 1804, avant de devenir, en 1810, le premier doyen de la Faculté de théologie de la nouvelle université de Berlin. Il y a publié un ouvrage important de dogmatique sur *La foi chrétienne* en 1821-1822. Mais Schleiermacher donnait aussi des cours de philosophie : on a publié après sa mort sa *Dialectique* (1839), son *Éthique* (1836) et son *Esthétique* (1842).

Ce n'est bien sûr qu'à titre d'herméneute qu'il peut nous intéresser ici. Il est important de savoir que

Schleiermacher a été formé à Halle, qui avait été un haut lieu de l'herméneutique au XVIIIe et où s'étaient succédé avant lui les grands maîtres de l'herméneutique rationaliste et piétiste. Schleiermacher n'a lui-même jamais fait paraître d'exposition systématique de son herméneutique. De son vivant, il n'a publié que le texte des deux discours qu'il a prononcés à l'Académie de Berlin en 1829 : « Sur le concept de l'herméneutique, en tenant compte des suggestions de F. A. Wolf et du traité de Ast ». Mais tout au long de son enseignement, à Halle et Berlin, Schleiermacher a consacré de nombreux cours à l'herméneutique. S'inspirant des manuscrits de son maître, son élève Lücke a publié en 1838 un précis des idées de Schleiermacher sous le titre *Herméneutique et Critique, surtout en vue du Nouveau Testament,* titre qui l'inscrit dans la tradition classique de l'herméneutique (la « critique » désignant ici la discipline philologique qui s'intéresse à l'édition critique des textes).

À l'instar de tous les grands théoriciens de l'herméneutique, Schleiermacher s'inspire abondamment de la tradition rhétorique. Au tout début de son herméneutique, on lit, en effet, que « tout acte de compréhension est l'inversion d'un acte de discours en vertu de laquelle doit être porté à la conscience quelle pensée se trouve à la base du discours »[1]. S'il est vrai que « tout discours repose sur une pensée antérieure »[2], il ne fait aucun doute que la tâche première du comprendre est de reconduire l'expression à la volonté de sens qui l'anime : « On cherche en pensée la même chose que

1. F. Schleiermacher, *Hermeneutik und Kritik (HuK),* éd. M. Frank, Frankfurt, Suhrkamp, 1977, 76 ; *Herméneutique,* tr. M. Simon, Labor & Fides, 101 ; tr. C. Berner, Le Cerf, 114.

2. *HuK,* 78 ; tr. Simon, 102 ; tr. Berner, 115.

l'auteur a voulu exprimer. » L'herméneutique se comprend ainsi comme l'inversion de la rhétorique.

Ainsi, « la tâche est de comprendre le sens du discours à partir de la langue ». « Tout ce qu'il faut présupposer en herméneutique, dira Schleiermacher en un adage promis à une grande postérité, c'est le langage. »[1] Vouée au langage, l'herméneutique se divise en deux grandes parties : l'interprétation grammaticale, qui comprend tout discours à partir d'une langue donnée et de sa syntaxe, et l'interprétation psychologique (parfois appelée « technique ») qui voit plutôt dans le discours l'expression d'une âme individuelle. Si l'interprète doit toujours partir du cadre global de la langue, il n'en est pas moins clair que les hommes ne pensent pas toujours la même chose sous les mêmes mots (ce qui est surtout vrai des créations géniales qui enrichissent le trésor de la langue). Sinon, « tout relèverait de la grammaire », soupire Schleiermacher.

L'interprétation psychologique incarne sans doute l'aspect le plus original de Schleiermacher (Gadamer y insistera, mais pour critiquer ce qu'il tiendra pour une dérive psychologisante qui perdrait de vue la visée de vérité de la compréhension). Si Schleiermacher lui a d'abord donné le nom d'interprétation « technique », c'est qu'elle cherche à comprendre l'art *(technè)* bien particulier d'un auteur, sa virtuosité caractéristique.

L'espoir de Schleiermacher est de développer une « herméneutique universelle », qui n'existerait pas encore : « L'herméneutique comme art du comprendre n'existe pas encore sous une forme générale, mais il y a seulement plusieurs herméneutiques spéciales. »[2] Se

1. *Herméneutique,* tr. Simon, 57 ; tr. Berner, 21.
2. *HuK,* 75 ; tr. Simon, 99 ; tr. Berner, 113.

trouve ici envisagée une herméneutique générale qui ne se limiterait pas à un secteur précis comme c'est le cas des herméneutiques spéciales du *Nouveau Testament* ou du droit. Et si l'herméneutique doit acquérir un statut universel, c'est en tant qu'art général du comprendre, *Kunst* (souvent : *Kunstlehre*) *des Verstehens.*

L'accent qui porte sur le comprendre est assez nouveau, l'herméneutique s'étant plutôt comprise jusque-là comme un art de l'*interprétation (ars interpretandi, Auslegungslehre),* devant conduire à la compréhension. C'est maintenant l'acte de comprendre lui-même qui a besoin d'être assuré par un art, insistance où l'on peut reconnaître le moment subjectif déjà apparent dans sa théologie du sentiment.

Cet accent va de pair avec une thématique propre à Schleiermacher, celle de l'universalisation du phénomène de la mécompréhension possible. Qu'est-ce qui nous permet de dire qu'une compréhension est juste ? Schleiermacher distingue à cet égard deux intelligences bien distinctes de l'interprétation :

1 / Une pratique *relâchée* qui « part de l'idée selon laquelle la compréhension se produit d'elle-même ». Pour elle, la mécompréhension forme plutôt l'exception. Cette pratique de l'herméneutique « exprime le but négativement : il faut éviter l'erreur de compréhension ». On reconnaît ici la conception classique de l'herméneutique qui en faisait une science auxiliaire à laquelle on n'avait recours que pour interpréter des passages ambigus.

2 / Une pratique *stricte* partirait, au contraire, « du fait que la mécompréhension se produit d'elle-même et que sur chaque point la compréhension doit être voulue et cherchée »[1].

1. *HuK,* 92 ; tr. Simon, 111-112 ; tr. Berner, 122-123.

Cette distinction entraîne des conséquences majeures. La pratique relâchée de l'interprétation se trouve ici assimilée à une pratique intuitive, qui n'obéit à aucune règle, ni aucun art. Or, elle présuppose que la compréhension se produit spontanément. Et si c'était la mécompréhension qui était naturelle et qu'il fallait combattre à tout moment ? Ce sera le présupposé de Schleiermacher. La compréhension devra donc procéder en tous points suivant les règles strictes d'un art : « Le travail de l'herméneutique ne doit pas seulement intervenir lorsque l'intelligence devient incertaine, mais dès les premiers commencements de toute entreprise qui vise à comprendre un discours. »

Ce qu'il faut à l'herméneutique, dira Schleiermacher, c'est donc « plus de méthode » *(die hermeneutischen Regeln müssen mehr Methode werden)*[1]. Schleiermacher ouvre ainsi la voie à une intelligence plus résolument méthodique de l'herméneutique (que Gadamer critiquera aussi), afin de contenir le danger de la mécompréhension, potentiellement universelle. L'herméneutique cessera dès lors d'occuper une fonction auxiliaire pour devenir la condition *sine qua non* de toute compréhension digne de ce nom. Elle sera donc au sens strict une *Kunstlehre,* la « doctrine d'un art » du comprendre.

C'est pourquoi l'opération fondamentale de l'herméneutique ou de la compréhension prendra la forme d'une *reconstruction.* Afin de bien comprendre un discours et contenir la dérive constante de la mécompréhension, je dois pouvoir le *reconstruire* à partir de ses éléments, comme si j'en étais l'auteur.

1. *HuK,* 84 ; addition non traduite par M. Simon, p. 106, non plus que par C. Berner, 118.

La tâche de l'herméneutique sera ainsi de « comprendre le discours d'abord aussi bien, puis mieux que son auteur », suivant une maxime souvent reprise par Schleiermacher (avec des variantes). Cette maxime a sans doute été utilisée pour la première fois par Kant qui disait, dans sa *Critique de la raison pure,* qu'« il n'y a rien de surprenant à ce que l'on puisse comprendre Platon mieux qu'il ne s'est lui-même compris "parce qu'il a lui-même insuffisamment déterminé son concept" » (A 314 / B 370). Schleiermacher en fera un principe général de son herméneutique qui s'engagera ainsi sur la voie d'une explication génétique : comprendre veut dorénavant dire « reconstruire la genèse de... » (veine génétique, et psychologisante, qui caractérisera d'ailleurs les interprétations qui commenceront à fleurir au XIXe siècle). L'idée vient de l'idéalisme allemand : on comprend quelque chose lorsqu'on en saisit la genèse, à partir d'un premier principe. Pour le romantique Schleiermacher, ce premier principe, c'est la décision germinale de l'écrivain. Schleiermacher donne ainsi un tour psychologique à l'herméneutique. Dans ses discours de 1829, il dira que « la tâche de l'herméneutique consiste à reproduire le plus parfaitement possible tout le processus de l'activité de composition de l'écrivain »[1].

Tout en restant fidèle à sa vocation classique, vouée à l'interprétation des textes, l'herméneutique acquiert chez Schleiermacher une portée plus universelle.

Un premier moment d'universalité s'annonce dans le projet d'une *herméneutique générale* qui devrait précéder, à titre d'art du comprendre, les herméneutiques spéciales consacrées à des types de textes précis (c'est

1. *HuK,* 321 ; tr. Simon, 186 ; tr. Berner, 167.

cette version de l'universalité que défend Schleiermacher). Mais une seconde forme d'universalité se fait jour dans l'idée selon laquelle l'herméneutique doit pouvoir s'appliquer à *toute* juste compréhension. Suivant la pratique rigoureuse de l'interprétation qu'il préconise, Schleiermacher, en romantique qui sait que l'on peut toujours rester prisonnier de ses propres représentations, universalise ici le risque de la mécompréhension possible. C'est elle qui conduit à une intelligence plus méthodique et plus reconstructrice de la tâche herméneutique. Un troisième élément d'universalité peut être discerné dans l'idée, développée dans les discours de 1829, selon laquelle l'herméneutique ne doit pas se borner aux seuls textes écrits, mais doit aussi pouvoir s'appliquer à *tous* les phénomènes de compréhension : « L'herméneutique ne doit pas être simplement limitée aux productions littéraires ; car je me surprends très souvent au cours d'une conversation familière à réaliser des opérations herméneutiques (...) ; la solution du problème, pour lequel nous cherchons justement une théorie, n'est aucunement liée au fait que le discours soit fixé pour les yeux par l'écriture, mais surgira partout où nous avons à percevoir des pensées ou des successions de pensée au moyen des mots. »[1]

Tout peut dorénavant devenir objet d'herméneutique. Cette universalisation va de pair avec un élargissement de l'étrangeté. Si le discours parlé ne faisait pas partie de l'empan de l'herméneutique classique, c'était justement parce qu'il était contemporain, immédiatement présent et par là directement intelligible. Seul le discours écrit, et plus particulièrement celui des auteurs anciens et éloignés, com-

1. *HuK*, 314 ; tr. Simon, 177 ; Berner, 159.

portait un élément d'étrangeté qui appelait une médiation herméneutique.

Schleiermacher universalise cette dimension : le discours d'autrui, même s'il m'est contemporain, renferme toujours un moment d'étrangeté. La première condition de l'herméneutique est, en effet, que quelque chose d'étranger doit être compris, suivant une idée que Schleiermacher emprunte à Ast. Cette problématique, sinon cette aporie, amène Schleiermacher à aborder la question du cercle du tout et des parties (qui donnera plus tard naissance au « cercle herméneutique »). Schleiermacher connaissait bien cette règle, à la fois rhétorique et herméneutique, du tout et des parties, mais il se demande expressément « jusqu'où on peut aller dans l'emploi de cette règle »[1]. C'est qu'elle peut être étendue à des horizons de sens toujours plus englobants : une phrase doit être comprise à partir de son contexte, celui-ci doit l'être à partir du tout d'un ouvrage, lequel doit être compris à partir de l'œuvre et de la biographie d'un auteur, qu'il faut à son tour comprendre à partir de son époque historique, époque qui ne peut elle-même être comprise qu'à partir de l'histoire dans son ensemble. Peu avant Schleiermacher, l'herméneute Ast[2], élève de Schelling, avait en effet reconnu à cette règle herméneutique une extension infinie : il faut comprendre l'Esprit d'une époque si l'on veut interpréter une œuvre. Schleiermacher se montrera pour sa part soucieux de limiter la « potentialisation » du cercle du tout et des parties. Il lui posera donc des balises, objectives et sub-

1. *HuK,* 330 ; tr. Simon, 194 ; tr. Berner, 174.
2. F. Ast, *Les principes fondamentaux de la grammaire, de l'herméneutique et de la critique,* Landshut, 1808.

jectives. Du point de vue objectif, dira-t-il, l'œuvre doit d'abord être comprise à partir du genre littéraire dont elle fait partie. Mais du point de vue subjectif, une œuvre est aussi le fait de son auteur, elle forme une partie dans le tout de sa vie, dont la connaissance doit éclairer la compréhension de son œuvre.

II. – Wilhelm Dilthey (1833-1911)

L'herméneutique, qui était encore largement comprise comme une discipline philologique chez Schleiermacher, recevra un sens plus méthodologique chez Dilthey. On entend ici par méthodologie une réflexion sur les méthodes qui sont constitutives d'un type de science. Le problème d'une justification méthodologique des sciences humaines n'existait pas encore pour Schleiermacher. Il n'est devenu pressant que dans la seconde moitié XIXe siècle au vu de l'essor prodigieux qu'ont connu les sciences exactes et dont Kant aurait proposé la méthodologie. Kant est alors largement perçu comme celui qui aurait porté un coup fatal à la métaphysique traditionnelle, science impossible du suprasensible, et qui aurait transformé la philosophie en une méthodologie des sciences exactes. Mais qu'en est-il des sciences humaines, l'histoire et la philologie surtout, qui ont connu un développement indéniable au XIXe siècle ? S'il s'agit bel et bien de sciences, elles doivent reposer sur des méthodes qui en fondent la rigueur. C'est cette réflexion méthodologique que Dilthey espère pouvoir livrer sous le mot d'ordre, d'inspiration kantienne, d'une « critique de la raison historique ». Dilthey en a présenté le projet dans le premier tome de son *Introduction aux sciences humaines* de 1883, qui fut le seul tome à paraître de son vivant. En se plaçant sous le patronage d'une « critique de la raison historique », cent ans après la *Critique de la raison pure* de Kant, Dilthey promet d'y livrer une fondation « logique, épistémologique et méthodologique » des sciences humaines. Elle se propose de fonder les sciences de l'esprit sur des catégories qui leur soient propres (logique), sur une théorie de la connaissance (épistémologie) et sur une théorie de la méthode spécifique. Dilthey lutte alors contre deux grands adversaires : d'une part, contre le positivisme empirique d'Auguste Comte ou de John Stuart Mill qui soutiennent qu'il n'y a pas de méthodes spécifiques aux sciences humaines et que celles-ci doivent reprendre la méthodologie des sciences de la nature si elles veulent être des sciences ; d'autre part, contre la « métaphysique de l'histoire » de la philosophie idéaliste, et de Hegel en particulier, qui prétendait reconstruire *a priori* le cours de l'histoire suivant les exigences de son système philosophique. Un peu comme Kant l'avait fait en luttant contre le scepticisme empirique de Hume et contre la métaphysique visionnaire, Dilthey cherchera à conduire le navire de la raison historique entre les deux écueils du positivisme et de l'idéalisme.

Afin de fonder la spécificité méthodologique des sciences humaines, Dilthey s'inspire de la distinction de l'historien Droysen (1808-1884) entre l'expliquer *(Erklären)* et le comprendre *(Verstehen)*. Alors que les sciences pures cherchent à expliquer les phénomènes à partir d'hypothèses et de lois générales, les sciences humaines veulent comprendre une individualité historique à partir de ses manifestations extérieures. La méthodologie des sciences humaines sera ainsi une méthodologie de la compréhension.

On se souvient que ce terme de compréhension et l'idée d'une théorie générale du comprendre tenaient un rôle important chez Schleiermacher. Parmi ses nombreux mérites, Dilthey était un fin connaisseur de l'œuvre de Schleiermacher. Après avoir fait une thèse de doctorat sur son éthique en 1864 et rédigé une importante étude sur son « système herméneutique » en 1867 (qui n'a été publiée qu'en 1966), il a fait paraître une volumineuse biographie de Schleiermacher en 1870. Si l'herméneutique reste assez absente de son *Introduction aux sciences humaines* de 1883, elle occupe une place de premier ordre dans une étude phare de 1900, qui ouvre le siècle de l'herméneutique, sur « L'origine de l'herméneutique ». Dilthey y brosse à grands traits l'histoire d'une discipline encore assez largement inconnue du grand public et dont Schleiermacher aura été pour lui le plus grand théoricien, mais il lui confère une fonction nouvelle, liée au grand problème de la méthodologie des sciences humaines :

« Il s'agit maintenant de résoudre la question de la connaissance scientifique des individus et même des grandes formes de l'existence humaine singulière en général. Une telle connaissance est-elle possible et quels moyens avons-nous d'y parvenir ? (...) Et si les sciences morales systématiques [les sciences humaines] tirent des lois générales (...) de cette appréhension du singulier, les processus de compréhension et d'interprétation n'en restent pas moins aussi leur base. Aussi leur certitude, tout comme celle de l'histoire, dépend-elle de la question de savoir si l'intelligence du singulier peut acquérir une validité universelle. »[1]

1. W. Dilthey, Origines et développement de l'herméneutique (1900), *Le monde de l'esprit,* Aubier, 1947, t. I, 313.

C'est à cette question que promet de répondre l'herméneutique, entendue comme « l'art de l'interprétation des manifestations vitales fixées par écrit ». Le but de l'interprétation est de *comprendre* l'individualité à partir de ses signes extérieurs : « Nous appelons *compréhension* le processus par lequel nous connaissons un intérieur à l'aide de signes perçus de l'extérieur par nos sens. » Cet intérieur qu'il s'agit de comprendre correspond au sentiment vécu *(Erlebnis)* de l'auteur, sentiment qui n'est pas accessible directement, mais seulement par ses signes extérieurs. Le processus de la compréhension consiste à « recréer » en soi le sentiment vécu de l'auteur, en partant de ses expressions. Remontant d'une expression à l'*Erlebnis,* de l'extérieur à son intérieur, la compréhension inverse ici le processus créateur, au même titre où la tâche herméneutique de l'interprétation pouvait être vue comme l'inversion de l'acte d'expression rhétorique. La triade du vécu, de l'expression et de la compréhension apparaît dès lors constitutive de l'herméneutique des sciences humaines. S'il en est ainsi, l'herméneutique pourrait être investie d'une nouvelle tâche, suggère Dilthey : « le *rôle essentiel* de l'herméneutique » sera d'« établir théoriquement, contre l'intrusion constante de l'arbitraire romantique et du subjectivisme sceptique dans le domaine de l'histoire, la validité universelle de l'interprétation, base de toute certitude historique »[1].

Cette visée restera largement un programme dans l'œuvre de Dilthey, mais l'idée selon laquelle elle pourrait servir de base méthodologique aux sciences humaines a conféré à l'herméneutique une pertinence et une visibilité qu'elle n'avait jamais vraiment connues

1. *Ibid.,* 332-333.

avant lui. Jusqu'à ce jour, d'importants penseurs comme Emilio Betti et E. D. Hirsch voient encore dans l'herméneutique une réflexion méthodologique sur le statut scientifique des sciences humaines. Pour eux, une herméneutique qui renoncerait à cette tâche perdrait toute raison d'être.

Mais il est une autre idée dans l'œuvre ultime de Dilthey qui allait propulser l'essentiel de l'héritage herméneutique dans une direction assez différente. C'est l'idée selon laquelle la compréhension qui se déploie dans les sciences humaines n'est rien d'autre que le prolongement d'une quête de compréhension et de formulation qui distingue déjà la vie humaine et historique comme telle. « La vie s'articule elle-même », dira Dilthey, à travers les multiples formes d'expression que les sciences humaines cherchent à comprendre en recréant le vécu d'où elles jaillissent. Assise sur une philosophie universelle de la vie historique, l'intuition de fond de Dilthey, lourde de conséquence, est que la compréhension et l'interprétation ne sont pas seulement des « méthodes » propres aux sciences humaines, mais traduisent une recherche de sens et d'expression plus originaire encore de la vie elle-même.

Ce caractère « herméneutique » de la vie elle-même n'était que confirmé par les idées développées, à peu près simultanément, par le dernier Nietzsche dans sa philosophie universelle de la volonté de puissance, pour laquelle il n'y a pas de faits, « mais seulement des interprétations ». Ce qui se profile chez Nietzsche, comme dans les derniers travaux de Dilthey, c'est donc un nouveau visage de l'universalité de l'herméneutique ou du règne interprétatif, mais qui paraît justement mettre en question le rêve diltheyen d'une fondation épistémologique des sciences humaines. Pour la plupart des héritiers de Dilthey (Heidegger et Gadamer), ce rêve apparaîtra incompatible avec le caractère fondamentalement historique de la vie sur lequel débouchaient les derniers travaux de Dilthey. Il confrontera l'herméneutique à de nouvelles tâches.

Chapitre III

LE TOURNANT EXISTENTIAL DE L'HERMÉNEUTIQUE CHEZ HEIDEGGER

Après avoir été jusqu'au XVIIIe un art de l'interprétation des textes, puis une méthodologie des sciences humaines au XIXe, l'herméneutique deviendra tout autre chose au XXe, une « philosophie », mais aussi un terme de plus en plus en vogue. C'est d'abord le cas au sein de l'école de Dilthey, où son élève Georg Misch s'efforce de développer une « logique herméneutique » qui veut montrer que les catégories fondamentales de la logique et de la science plongent leurs racines dans une quête de compréhension de la vie elle-même. C'est une logique que Misch a présentée dans ses cours, mais ceux-ci n'ont été publiés que récemment[1] et n'ont joué qu'un rôle modeste dans la transmission de la pensée herméneutique.

Sans en être le seul, l'air du temps ayant aussi fait son œuvre, Martin Heidegger (1889-1976) aura été le principal artisan de cette transformation philosophique de l'herméneutique, devenue une forme de philosophie à part entière. Avec Heidegger, l'herméneutique changera d'objet, de vocation et de statut. Elle changera d'abord d'*objet* en ne portant plus sur les textes ou les sciences interprétatives, mais sur

1. Georg Misch, *Der Aufbau der Logik auf dem Boden der Philosophie des Lebens* [L'édification de la logique sur la philosophie de la vie], Alber, 1994.

l'existence elle-même. On peut donc parler d'un tournant existential de l'herméneutique. Elle changera aussi de *vocation,* car l'herméneutique ne se comprendra plus de manière technique, normative ou méthodologique. Elle aura une fonction plus phénoménologique, plus « destructrice » au sens libérateur du terme, qui découle de son changement de *statut* : elle sera non seulement une réflexion *qui porte* sur l'interprétation (ou ses méthodes), elle sera aussi l'accomplissement d'un processus d'interprétation qui se confondra avec la philosophie elle-même.

I. – Une herméneutique de la facticité

On le souligne peu, mais Heidegger sera de fait le premier à faire de l'herméneutique le titre d'une philosophie quand il présentera sa pensée, dans le titre d'un de ses cours de 1923 (qu'il citera dans *Être et temps* et encore en 1959), comme une « herméneutique de la facticité ». La facticité désigne ici l'existence concrète et individuelle qui n'est pas d'abord pour nous un objet, mais une aventure dans laquelle nous sommes projetés et à laquelle nous pouvons nous éveiller de manière expresse ou non.

L'idée d'une herméneutique de la facticité, comme celle d'une herméneutique de l'existence dans *Être et temps* de 1927, comporte un précieux double sens, conformément au double sens du génitif, au sens où le génitif dans « la peur des ennemis » *(metus hostium)* peut désigner tantôt la peur que nous avons des ennemis (gén. objectif) ou la peur que les ennemis ont de nous (gén. subjectif).

Au sens objectif, l'herméneutique de la facticité veut dire que la philosophie a pour objet l'existence humaine, comprise de manière radicale comme *ens her-*

meneuticum, comme un « être herméneutique ». Cette conception très large de l'herméneutique vient de trois sources. 1 / Elle vient en partie de Dilthey et de son idée selon laquelle la vie est elle-même intrinsèquement herméneutique, c'est-à-dire portée par une interprétation d'elle-même. 2 / Elle aura aussi été marquée par la conception de l'intentionnalité chez Husserl, suivant laquelle la conscience vit d'emblée dans l'élément de la visée de sens, percevant toujours le monde dans la perspective d'une compréhension constituante. 3 / Son inspiration vient ultimement de la philosophie chrétienne de Kierkegaard qui avait parlé du choix devant lequel se trouvait placée l'existence qui doit décider de l'orientation de son être, choix qui présuppose que l'existence est un être d'interprétation.

Mais au sens subjectif du génitif, le projet d'une herméneutique « de » la facticité suggère que cette interprétation doit être effectuée par l'existence elle-même. Autrement dit, le philosophe – ou l'auteur de l'herméneutique de la facticité – n'a pas à se substituer à l'existence elle-même. Il peut tout au plus élaborer des « indications formelles » qui permettront à l'existence de s'approprier ses propres possibilités d'existence. Mais c'est à l'existence elle-même qu'il incombe d'élaborer l'herméneutique de sa propre facticité et qu'en un sens elle pratique de manière plus ou moins *inconsciente* en vivant déjà au sein de certaines interprétations. Cette possibilité d'élucidation se fonde sur ce qu'est l'existence, c'est-à-dire un espace ouvert qui n'est pas intégralement régulé par l'ordre des instincts, mais qui peut déterminer son orientation vitale fondamentale et se libérer des interprétations « aliénantes » de son être.

La facticité désigne ainsi chez Heidegger le « caractère d'être » fondamental de l'existence humaine et de ce qu'il appellera aussi le *Dasein,* disons « l'être-qui-est-jeté-là », cet être qui est à chaque fois mien, qui n'est pas d'abord pour moi un « objet » se trouvant en face de moi, mais un rapport à soi sur le mode de la préoccupation et de l'inquiétude radicale. Pour l'abord de cette facticité, le terme d'herméneutique n'est pas choisi par hasard. Il est fondé dans la facticité elle-même, souligne Heidegger. C'est que la facticité est à la fois 1 / capable d'interprétation ; 2 / en attente et en besoin d'interprétation ; 3 / et vécue depuis toujours au sein d'une certaine interprétation de son être.

Simplement, la facticité l'oublie volontiers, s'oubliant ainsi elle-même. La tâche d'une herméneutique de la facticité, au sens du génitif objectif, sera dès lors de rappeler la facticité à elle-même, de la tirer de son oubli de soi. L'herméneutique est d' « attaque », visant la facticité de chacun : « L'herméneutique a pour tâche de rendre chaque *Dasein* attentif à son être, à le lui communiquer, à traquer l'aliénation de soi qui frappe le *Dasein.* »[1]

Il s'agit en d'autres mots d'éveiller l'existence à elle-même : « Le thème de l'herméneutique est donc le *Dasein* de chacun, interrogé de manière herméneutique quant à son caractère d'être afin d'élaborer un éveil radical à propos de soi-même. » On mesure ici la distance qui sépare Heidegger de l'herméneutique classique : l'herméneutique n'a plus affaire aux textes, mais à l'existence individuelle de chacun afin de contribuer à l'éveiller à elle-même !

Puisqu'il s'agit de secouer l'existence, il faut donc « détruire » les interprétations qui la maintiennent

1. M. Heidegger, *Herméneutique de la facticité. Œuvres complètes (= GA),* t. 63, Klostermann, 1988, 15.

dans son état d'assoupissement : « L'herméneutique n'accomplit sa tâche que par le biais de la destruction. »[1] S'il est besoin d'une destruction, c'est que l'existence cherche à s'éviter elle-même. Taraudée par le souci de soi, elle a le souci de se décharger de cette inquiétude radicale qu'elle est pour elle-même. L'existence cherche à s'apaiser elle-même, à s'éviter, succombant ainsi à la tendance à la « déchéance » qui la suit comme son ombre[2]. C'est ainsi que l'existence succombe d'elle-même à la médiocrité dictée par le « on » et l'opinion publique.

Encore une fois, Heidegger n'a pas vraiment de modèle plus édifiant à proposer à l'existence concrète. Il lui rappelle seulement qu'elle cesse un peu d'être là lorsqu'elle se laisse aller et néglige de se prendre en main. À cette existence inauthentique, Heidegger oppose l'idéal d'authenticité qui habite déjà l'existence en tant qu'espace ouvert susceptible de déterminer l'interprétation de son être. Il ne s'agit donc pas de proposer une nouvelle morale, mais d'inviter le *Dasein* à être ce qu'il est, un être qui peut être « là » où tombent les décisions fondamentales quant à son être, mais qui le plus souvent est ailleurs, distrait, loin de soi.

II. – Le statut de l'herméneutique dans *Être et temps*

Le programme herméneutique de 1923 sera repris dans l'œuvre maîtresse de 1927, mais sera mis au service du projet nouveau d'une ontologie fondamentale. La philosophie y est en effet conçue comme *ontologie*

1. *Ibid.*, 32.
2. Voir M. Heidegger, *Interprétations phénoménologiques d'Aristote* (1922), TER-Repress, 1992, 19, 23.

parce que sa question première est celle de l'être. Selon Heidegger, la question est prioritaire, et à plusieurs titres. 1 / Elle apparaît d'abord fondamentale en science car toute connaissance et tout rapport à un objet reposent sur une certaine intelligence de l'être auquel on a affaire (l'être est un peu la présupposition de toute investigation scientifique, mais qu'il appartient en propre à la philosophie de tirer au clair). 2 / Plus fondamentalement encore, la question de l'être s'avère urgente pour l'existence elle-même, s'il est vrai que celle-ci se caractérise « par le fait qu'il y va en son être de son être même ». La philosophie n'a donc pas de question plus essentielle. Seulement, la question est aujourd'hui « tombée dans l'oubli », déclare la première ligne du livre de 1927.

Il faut donc s'y frayer un nouvel accès. À cette fin, Heidegger propose de suivre la méthode phénoménologique. Celle-ci possède d'abord un sens prohibitif : tout ce qui sera dit des phénomènes devra faire l'objet d'une légitimation directe. Or, l'ennui avec l'être, c'est qu'il ne se montre pas, la question ayant été aujourd'hui abandonnée, étant recouverte par la problématique de la théorie de la connaissance. Ce que la phénoménologie devra faire voir, dira Heidegger, c'est donc ce qui ne se montre pas de prime abord, mais a besoin d'être mis en évidence : « Qu'est-ce donc que la phénoménologie doit "faire voir" ? (...) Manifestement ce qui, de prime abord et le plus souvent, *ne* se montre justement *pas,* ce qui, par rapport à ce qui se montre d'abord et le plus souvent, est en retrait, mais qui en même temps appartient essentiellement, en lui procurant sens et fondement, à ce qui se montre de prime abord et le plus souvent. »[1] La phénoménologie sera

1. *Être et temps,* tr. Martineau, 47 ; tr. Vezin, 62 (*SZ,* 35).

ainsi la voie permettant d'avoir accès à l'être, compris comme le phénomène fondamental, mais qui ne se montre pas en raison de l'oubli de l'être.

Mais comment faire voir ce qui ne se montre pas et ce qui constitue l'objet de l'ontologie ? Heidegger résout le dilemme en faisant appel à l'herméneutique, entendons l'herméneutique de l'existence. La phénoménologie prendra ainsi un « tournant herméneutique ». Les développements que Heidegger consacre aux notions de phénoménologie et d'herméneutique suggèrent fortement que la dissimulation du phénomène de l'être est le résultat d'un recouvrement qui n'a rien d'innocent. Ce recouvrement se fonde, en effet, sur une autodissimulation de l'existence qui en occultant le thème de l'être cherche surtout à fuir son être fini et mortel. La tâche d'une herméneutique de l'existence sera donc de reconquérir (de « réveiller », disait le cours de 1923) l'existence et son thème fondamental, l'être, contre sa tendance à s'occulter soi-même.

Il s'agit ici de s'attaquer à un double oubli, mais qui fait système : l'oubli de l'existence elle-même (c'est-à-dire l'oubli de soi-même comme tâche et comme projet) et l'oubli de l'être comme thème fondamental de la philosophie. Dans les deux cas, l'oubli appelle une « destruction », c'est-à-dire une mise à découvert des motifs qui ont présidé à l'instauration d'une pensée qui oblitère l'être comme thème fondamental de l'existence et de la philosophie. Dans l'introduction à *Être et temps,* l'accent porte sur l'oubli de l'être, mais la suite de l'ouvrage établira clairement que cet oubli repose sur un oubli de soi de l'existence et de sa finitude, pourtant fondamentale.

Afin de lever ce double oubli, il est besoin d'une herméneutique, c'est-à-dire d'une mise à découvert

« destructrice » (toujours à entendre au sens positif du décapage qui cherche à dégager le phénomène qui a été recouvert) : d'une part, d'une herméneutique de l'existence elle-même qui la tire de son autorecouvrement ; d'autre part, d'une herméneutique de l'oubli *philosophique* de l'être qui s'annonce sous le nom d'une « destruction » de l'histoire de l'ontologie.

Être et temps en viendra ainsi, en une page très dense (*SZ*, 37), à une caractérisation concise et ramassée de ce qu'il convient d'entendre par herméneutique. Le « sens méthodique de la description phénoménologique » relèvera de l'herméneutique au sens précis où la description sera le fait d'un travail d'*interprétation* (*Auslegung*, nous reviendrons à l'instant sur ce terme crucial). Le caractère herméneutique de la phénoménologie vient souligner que deux choses doivent être *« annoncées »* à la compréhension d'être qui est celle de notre existence : 1 / le sens authentique de l'être et 2 / les structures fondamentales de son propre être. Mais pour communiquer le sens authentique et fondamental de l'être et les structures de l'être qui est le nôtre, force est de partir d'une « explicitation expresse de l'être de l'existence », qui constituera le sens philosophiquement premier de l'herméneutique dans *Être et temps*. Si ce sens est dit premier, c'est qu'il constituera l'*assise* véritable de l'ontologie phénoménologique que Heidegger veut conduire : afin de réveiller la question de l'être, il faut partir d'une interprétation explicitante de la compréhension d'être, plus ou moins expresse, qui est celle de l'existence elle-même.

Eu égard à cette problématique, fondamentale entre toutes, ce n'est que de manière dérivée, dit Heidegger, que l'on peut entendre par herméneutique une « méthodologie des sciences historiques de l'esprit ». Heidegger donne ainsi congé à la conception diltheyenne de l'herméneutique, mais au nom d'une pensée qui cheville l'herméneutique à l'existence elle-même, suivant certaines des impulsions du dernier Dilthey.

III. – Une nouvelle herméneutique du comprendre

L'herméneutique promet ainsi de rappeler à l'existence les structures essentielles de son être, auxquelles Heidegger donnera le nom d' « existentiaux ». S'il est vrai que l'existence est habitée d'une compréhension (préoccupée) de soi, il va de soi que la « compréhension » formera un existential tout à fait fondamental et auquel Heidegger donnera un nouveau sens, déterminant pour l'herméneutique ultérieure.

Nous savons déjà que l'existence est herméneutique parce qu'elle est un être de compréhension. Mais que veut dire comprendre ? Heidegger rompt encore une fois avec la tradition antérieure en y voyant moins une intellection *(intelligere)* ou une connaissance qu'un pouvoir, une capacité, un savoir-faire ou une habileté. Il se réclame à cet égard de la locution allemande *sich auf etwas verstehen* qui veut dire « s'y entendre à quelque chose », « en être capable ». Le « se comprendre à » est ici un verbe pronominal, qui m'implique dans son exercice, car c'est toujours une « possibilité » de moi-même qui se déploie, qui se risque aussi, dans la compréhension.

Comprendre, c'est donc *pouvoir* quelque chose et ce qui est « pu » dans ce pouvoir, c'est toujours une possibilité de *soi-même,* un « se-comprendre ».

Ancrée dans l'existence et son inquiétude fondamentale à propos d'elle-même, toute compréhension aura la structure d'un projet. C'est dire que la compréhension se tient au sein d'une structure d'anticipation, d'une anticipation de significativité, régie par l'existence et son besoin d'orientation.

Mais cette anticipation ne relève pas nécessairement d'un projet conscient. Elle est le fait d'un « projet jeté » : jetée dans l'existence, la compréhension se nourrit de projets de compréhension qui sont autant de possibilités de se tirer d'affaire dans le monde. Mais il est possible d'éclairer cet être-projeté, de tirer au clair ces anticipations et d'ainsi s'approprier ses projets de compréhension. Cet éclaircissement du comprendre s'accomplira par ce que Heidegger appelle l'*Auslegung*.

Heidegger emploie par là le concept qui définit la tâche classique de l'herméneutique, celui d'interprétation, mais il lui confère un sens inédit. L'interprétation n'est rien d'autre, dira-t-il, que l'explicitation de la compréhension. Heidegger joue ici sur le terme allemand d'*Auslegung,* qui veut dire interprétation dans le langage courant, mais dont la construction évoque l'idée d'un débroussaillement ou d'une explicitation (d'où la préférence des traducteurs pour ce terme quand il s'agit de rendre *Auslegung*).

Deux déplacements majeurs s'opèrent ici par rapport à la problématique classique de l'*interpretatio*. 1 / Ce qu'il s'agit de tirer au clair, ce n'est pas d'abord le sens du texte ou l'intention de l'auteur, mais l'intention qui habite l'existence elle-même, le sens de son projet. Ce déplacement a tout à voir avec le tournant existential de l'herméneutique chez Heidegger, qui délaisse le paradigme de l'interprétation des textes (non sans avoir des répercussions sur elle, comme le reconnaîtront les héritiers de Heidegger que seront Bultmann, Gadamer et Ricœur). 2 / L'interprétation n'est plus ici le « procédé » qui permet d'accéder à la compréhension, suivant la structure téléologique de l'interprétation et de la compréhension qui a prévalu dans la conception classique de l'herméneutique. Non, l'interprétation est plutôt l'éclaircissement critique d'une compréhension qui la précède. Il y a d'abord compréhension, puis son interprétation, où la compréhension en vient à se comprendre elle-même, à se saisir de ses anticipations.

La compréhension est dotée d'une triple structure qui en vient à s'éclairer dans ce que Heidegger appelle l'*Auslegung* ou l'« interprétation explicitante ». Toute compréhension possède :

1 / un « pré-acquis » *(Vorhabe),* un horizon à partir duquel elle comprend ;
2 / une « pré-vision » *(Vorsicht),* car elle s'effectue dans une certaine intention ou une certaine visée ;
3 / une « pré-saisie » *(Vorgriff)* puisqu'elle se déploie au sein d'une conceptualité qui anticipe sur ce qu'il y a à comprendre et qui n'est peut-être pas innocente.

Le propos de l'interprétation explicitante est de faire ressortir pour elle-même (« en tant que telle ou telle ») cette structure d'anticipation et ce qu'elle implique. Heidegger est clairement animé ici par une visée d'*Aufklärung* ou d'élucidation (qui sera un peu tempérée chez son élève Gadamer). Dans *Être et temps,* Heidegger ne pense pas d'abord aux modes philologiques de l'interprétation et de la compréhension, il pense surtout à deux types d'anticipation qui sont en attente d'explicitation ou de « destruction » :

a) l'anticipation d'une certaine conception de l'être (comme présence subsistante : ce qui est, c'est ce qui s'étale dans une présence permanente sous un regard dominateur, conception qui aurait dominé toute l'histoire de la métaphysique) ;

b) l'anticipation d'une certaine conception de l'existence (l'homme comme chose pensante, ou *animal rationale*).

La question de Heidegger est ici la suivante : mais d'où viennent ces précompréhensions ? Ont-elles jamais été élucidées pour elles-mêmes ? *Être et temps* se propose de le faire, appliquant ainsi à la question de l'être et de l'homme la structure de la compréhension et de l'explication qui est déjà celle de l'existence. L'ouvrage pratique ainsi, au plan philosophique, l'herméneutique de l'être et de l'existence qui s'opère déjà au sein de l'existence. On aperçoit à nouveau la distance qui peut séparer Heidegger de l'herméneutique classique : il ne s'agit pas d'interpréter le sens d'un texte ou la pensée d'un auteur, mais d'élucider la précompréhension de l'existence afin de déterminer si elle relève d'une saisie authentique ou non.

IV. – **Du cercle de la compréhension**

Selon Heidegger, toute compréhension s'élève sur le fond de certaines anticipations, dictées par le souci de l'existence pour elle-même. L'existence se comprend alors depuis un certain acquis, une certaine visée et suivant une certaine conceptualité. C'est une autre manière de dire qu'il n'y a pas de *tabula rasa* de la compréhension. Or c'est pourtant cet idéal de la *tabula rasa* de la compréhension que la méthodologie scientifique a voulu imposer à l'herméneutique du XIXe, chez Dilthey notamment : l'herméneutique se comprend alors comme la discipline qui doit évacuer le subjectivisme de l'interprétation afin de fonder la prétention à l'objectivité des sciences humaines. Se trouve ici présupposé que l'on ne peut comprendre

« objectivement » que si l'on écarte les préjugés de l'interprète et de son époque.

À l'aune de cet idéal d'objectivité, la conception heideggérienne du comprendre et de l'interprétation paraît donner dans un « cercle » qui a toutes les apparences d'être vicieux. C'est qu'il ne semble plus y avoir d'interprétation objective, neutre, toute interprétation n'étant, semble-t-il, que l'élaboration d'une compréhension préalable. D'où le problème, par lequel se définissait un peu l'herméneutique classique : comment sortir de ce damné cercle ? Comment en venir à une interprétation qui serait enfin indépendante des préconceptions de l'interprète ?

Vouloir sortir de ce cercle, ce serait aux yeux de Heidegger entretenir l'espoir d'en arriver à une compréhension qui ne jaillirait plus de l'existence. Non seulement n'y a-t-il rien de tel, mais entretenir une telle illusion, ce serait passer tout à fait à côté de ce qu'est le comprendre, savoir une recherche d'intelligibilité qui est toujours mue par les attentes de l'existence, soucieuse d'elle-même. « Ce qui est décisif, clamera donc Heidegger, ce n'est pas de sortir du cercle, mais d'y entrer de la manière convenable » (*SZ*, 153). Pour lui, cela veut dire que la tâche première de l'interprétation est non pas de céder à des préjugés arbitraires, mais d'élaborer la structure d'anticipation du comprendre à partir des choses elles-mêmes (Heidegger donnant par là à entendre qu'il ne renonce aucunement à la conception classique de la vérité comme adéquation à la chose).

La maxime herméneutique de Heidegger consiste donc à faire ressortir la structure d'anticipation de la compréhension au lieu de faire comme si elle n'existait pas. C'est donc à un exercice de rigueur, c'est-à-dire d'autocritique que Heidegger invite l'interprétation.

C'est à cet exercice que se livre tout le projet d'*Être et temps* en s'interrogeant sur les présupposés herméneutiques de l'intelligence dominante de l'être et de l'existence.

V. – La dernière herméneutique de Heidegger

Cette explication critique se poursuivra dans sa dernière philosophie, voire sa dernière « herméneutique », qui prendra la forme d'une explication avec l'histoire de la métaphysique et de sa conception dominante de l'être comme présence disponible. S'il est vrai que le dernier Heidegger ne parle presque plus d'herméneutique, il en radicalise l'exigence en vouant tous ses efforts à la mise à jour des présupposés de la pensée métaphysique qu'il tient maintenant pour responsable de l'oubli de l'être.

Dans *Être et temps,* cet oubli était largement imputé à l'existence inauthentique qui oubliait sa question essentielle. Le second Heidegger y verra plutôt la conséquence du destin de la métaphysique occidentale : en soumettant l'être à la perspective de la rationalité (« rien n'est sans raison »), la métaphysique aurait gommé le mystère originel de l'être, son surgissement gratuit, sans pourquoi. Cette métaphysique de la rationalité trouverait son accomplissement dans l'essence de la technique : l'être n'y serait plus qu'une donnée disponible et comptabilisable. Heidegger est à l'affût d'une autre intelligence de l'être, moins impériale, moins régie par le « principe de raison ». Sa pensée vise ainsi à préparer un nouveau commencement et ainsi à « surmonter » la pensée métaphysique, qui tend à assujettir l'être à la perspective de l'homme en exigeant qu'il rende des comptes. Cette herméneutique prolonge la visée de *SZ* au sens où son propos est de mettre en relief les présupposés de la conception métaphysique de l'être, au nom d'une autre pensée, plus originelle, plus attentive au surgissement de l'être.

Cette autre pensée, Heidegger l'a esquissée en portant une attention renouvelée, et tout à fait herméneutique, au phénomène du langage et du langage poétique. *Être et temps* avait déjà dit que la tâche de l'herméneutique était d'*annoncer* à l'existence le sens de l'être. Or cette « annonce » n'est-elle pas déjà le fait du langage lui-même, où l'être s'est depuis toujours porté à la parole ? N'est-ce pas cette capacité d'entendre le langage et, par là, d'être ouvert au mystère de l'être qui fonde notre *Dasein,* notre « être-là-en-langage » ? Il n'est donc pas étonnant que le tout dernier Heidegger, dans ses réflexions sur le langage, pensé comme la « maison de l'être », ait pu dire que c'était la parole qui donnait voix à la « relation herméneutique » fondamentale, celle de l'être et de l'homme[1]. De plus, Heidegger l'a fait dans un « entretien » rétrospectif, publié en 1959, où il revient avec nostalgie sur son projet d'une herméneutique de la facticité et où il cite, pour la première fois depuis trente ans, des textes de Schleiermacher et de Dilthey. Il a ainsi voulu marquer sa solidarité avec l'héritage de l'herméneutique qui l'avait précédé, mais en affirmant que le langage était l'élément de la relation herméneutique, il a aussi anticipé sur les développements de l'herméneutique de ses héritiers.

1. M. Heidegger, D'un entretien de la parole, *Acheminement vers la parole* (1959), Gallimard, 1967, 118, 120, 126.

Chapitre IV

LA CONTRIBUTION DE BULTMANN À L'ESSOR DE L'HERMÉNEUTIQUE

Le moins que l'on puisse dire est que Heidegger a proposé une conception assez hérétique de l'herméneutique. Rivé à la question de l'être et de l'existence, son projet n'a pas grand-chose à voir, au premier coup d'œil, avec la conception classique de l'herméneutique, comprise comme art d'interpréter les textes ou comme méthodologie des sciences humaines. Il paraît si éloigné des préoccupations traditionnelles de l'herméneutique que plusieurs historiens de l'herméneutique peuvent se permettre de l'ignorer ou d'y voir un danger mortel (ce sera le cas de Betti). Mais pour ceux que l'on peut appeler les descendants de Heidegger (Bultmann, Gadamer, Ricœur, Vattimo, *et al.*), ce sont justement ses réflexions « révolutionnaires » sur la compréhension, l'interprétation et le langage qui devaient avoir des conséquences pour la pensée herméneutique, vouée à l'interprétation des textes et à la justification de la prétention de vérité des sciences humaines. On peut dire que le souci de ces auteurs a été d'appliquer, chacun à leur manière, les leçons de l'herméneutique existentiale aux questions plus traditionnelles de l'herméneutique.

Le premier penseur d'envergure à avoir montré comment la conception heideggérienne pouvait être mise au service des questions plus classiques de l'interprétation des textes fut sans doute le théologien Rudolf Bultmann (1884-1976). Avant même de faire la connaissance de Heidegger, Bultmann était déjà un éminent exégète du *Nouveau Testament.* Dans son *Histoire de la tradition synoptique* de 1921, il avait apporté une contribution de premier plan à la lecture historico-critique du texte biblique en insistant sur les styles et les genres littéraires du texte sacré. Il est devenu professeur à Marbourg en 1921, où il a passé toute sa carrière et où il a eu des rapports étroits avec Heidegger (qui fut professeur à Marbourg de 1923 à 1928), mais aussi avec Gadamer (qui a passé vingt ans à Marbourg, de 1919 à 1939).

Bultmann a toujours pensé que l'interprétation existentiale proposée par Heidegger offrait une description neutre de l'existence humaine dont pouvait se servir le théologien dans son travail d'interprétation. Il aura ainsi été le premier herméneute à faire fructifier les idées de Heidegger sur le terrain de l'exégèse. Cela est particulièrement apparent dans l'essai qu'il a publié en 1950 sur « Le problème de l'herméneutique ». Ce texte apparaît assez tardivement dans l'œuvre de Bultmann, mais il est important, car il aide à cerner ce qui restera pour des auteurs comme Gadamer et Ricœur le « problème herméneutique ».

Bultmann présente ce qu'il appelle le problème de l'herméneutique en s'appuyant lui-même sur l'essai de Dilthey sur « L'origine de l'herméneutique », paru cinquante ans plus tôt. Mais c'est pour critiquer d'emblée la conception trop restrictive, trop génétique, que se faisait Dilthey de la compréhension : la compréhension est-elle bel et bien « la réeffectuation des phénomènes intérieurs qui se sont déroulés dans son auteur » ? N'est-elle rien d'autre que la recréation de « l'événement créateur intérieur dont ils sont issus »[1] ?

C'est donc l'orientation psychologisante de l'herméneutique de Dilthey que Bultmann stigmatise ici. Elle masque selon lui le sens même de l'effort de compréhension, focalisé plutôt sur la chose à comprendre et à partir de l'interrogation fondamentale qui est celle de l'interprète :

> « Une compréhension, une interprétation est donc (...) toujours orientée par une question déterminée, par une visée précise. Cela implique qu'elle n'existe jamais sans une présupposition ou, pour parler plus exactement, qu'elle est toujours guidée par une précompréhension de la chose sur laquelle elle interroge le texte. »[2]

Pour Bultmann, la compréhension est toujours orientée sur la chose *(Sache)* du texte, sur son enjeu, et non sur la psychologie de l'auteur. Mais cette compréhension de la chose ne peut pas ne pas être guidée par une précompréhension de l'interprète. Celle-ci se fonde à son tour dans la vie de celui qui comprend : « L'interrogation de fond procède d'un *intérêt qui est fondé dans la vie de celui qui questionne.* La présupposition de toute interprétation compréhensive est que l'intérêt dont nous parlons est de manière ou d'une autre vivant dans le texte à interpréter et fonde la communication entre ce dernier et l'interprète. »[3]

On ne peut donc comprendre, dira Bultmann, qu'en *participant* à ce qui est dit. Bultmann parle ici d'un *teilnehmendes Verstehen,* d'une « compréhension participative » : comprendre, c'est avoir part à ce que je

1. R. Bultmann, Le problème de l'herméneutique (1950), *Foi et compréhension,* t. I, Le Seuil, 1970, 599-626, ici 603.
2. *Ibid.*, 604.
3. *Ibid.*, 605.

comprends. Je ne peux comprendre Platon, dira ainsi Bultmann, qu'en philosophant avec lui. Si Bultmann insiste sur cette idée de participation, c'est afin de critiquer une conception trop « esthétisante » de la compréhension selon laquelle le sens à comprendre serait d'abord l'expression d'une individualité. Non, dit Bultmann, comprendre, c'est plutôt saisir une possibilité d'existence.

Cette *possibilité de l'existence* qui est au centre du « problème de l'herméneutique » se manifeste aux deux pôles de la compréhension, qui devient dès lors affaire de dialogue : je comprends toujours *à partir de* mon existence et ce que je comprends, c'est aussi une *possibilité d'existence* révélée par le texte. Paul Ricœur, que la pensée de Bultmann aura beaucoup marqué, dira plus tard que la compréhension porte sur le monde que l'œuvre m'ouvre et qu'elle me permet d'habiter.

La précompréhension de l'interprète ne doit pas être éliminée, au nom d'un idéal méthodique d'herméneutique, elle doit plutôt être élaborée pour elle-même et mise en question : « Il ne s'agit pas d'éliminer la précompréhension mais de l'élever au niveau conscient. »[1] Et la rendre consciente, précise Bultmann, c'est la mettre à l'épreuve du texte, faire en sorte qu'elle puisse être mise en question par lui et qu'elle puisse ainsi entendre sa revendication *(Anspruch)*. Une révision de la précompréhension est toujours possible et c'est elle qui se produit dans le travail d'interprétation.

Si Bultmann démontre par là qu'il a très bien saisi le lien étroit entre la compréhension et l'interprétation-explicitante chez Heidegger, son mérite est d'avoir été le premier à appliquer expressément sa

1. *Ibid.*, 618.

conception du cercle herméneutique aux questions plus traditionnelles de l'herméneutique, en développant et en pratiquant une herméneutique existentiale des textes (Heidegger se limitant largement à une herméneutique de l'existence et de la métaphysique). En affirmant que la compréhension se fondait sur un « intérêt fondé dans la vie », il devançait la conception de la compréhension propre à l'herméneutique philosophique de Gadamer (la compréhension comme application) et de Ricœur (la compréhension comme ouverture d'un monde). Il s'opposait ainsi, avant Gadamer, à la conception encore trop esthétisante et reconstructrice de la compréhension chez Dilthey. Sa conception « participative » du comprendre ouvrait dès lors la voie à l'intelligence de la compréhension comme d'un dialogue. Un retour de l'herméneutique à ses questions plus anciennes devenait possible depuis un sol heideggérien.

Chapitre V

HANS-GEORG GADAMER : UNE HERMÉNEUTIQUE DE L'ÉVÉNEMENT DE LA COMPRÉHENSION

I. – Une herméneutique non méthodologique des sciences humaines

Même si Heidegger avait déjà proposé une conception philosophique de l'herméneutique, ce n'est qu'avec Gadamer que le terme d'herméneutique a vraiment commencé à s'imposer à la conscience générale. En 1960, il a soumis à son éditeur un long manuscrit qui portait le titre *Les grandes lignes d'une herméneutique philosophique*. Son éditeur jugea toutefois que le terme d'herméneutique était peut-être trop ésotérique et risquait d'effrayer les lecteurs. Invité à trouver quelque chose de plus accrocheur, Gadamer a d'abord pensé à *Compréhension et événement,* avant de tomber sur le titre *Vérité et méthode*. C'est cet ouvrage qui a catapulté l'herméneutique au centre des débats philosophiques, à telle enseigne que c'est l'éditeur qui a insisté pour que le terme d'herméneutique figure dans le titre d'un recueil d'essais que Gadamer a fait paraître en 1967...

Bien qu'il soit son élève et qu'il s'en inspire beaucoup, la transition de l'herméneutique de Heidegger à celle de Gadamer ne va pas tout à fait de soi. C'est que Gadamer n'a pas directement repris l' « herméneutique de l'existence » de son maître. Il a plutôt tenté de repenser à partir d'elle la problématique, plus diltheyenne, d'une herméneutique des sciences humaines (même si Gadamer finira par dépasser cet horizon en esquissant une herméneutique universelle du langage). Ce qui l'a marqué chez Heidegger, c'est moins le projet d'une herméneutique directe de l'existence ou d'une reprise de la question de l'être que la nouvelle intelligence du cercle herméneutique qui n'est plus à entendre suivant l'idéal objectiviste d'une *tabula rasa*. L'idée fondamentale de Heidegger était qu'il était absurde d'espérer en venir à une compréhension expurgée de toute anticipation, et dès lors enfin « objective », car comprendre pour un être fini, c'est être mû par certaines anticipations. Sans anticipations constitutives, la compréhension perd toute raison d'être, toute pertinence. Il n'y a donc pas d'interprétation qui ne soit guidée par une compréhension.

Heidegger le disait, bien sûr, dans la visée d'une herméneutique de l'existence : les anticipations de l'existence ont-elles été élaborées de manière authentique, depuis la finitude de notre être, ou non ? Gadamer appliquera, pour sa part, la valorisation plus positive du cercle herméneutique à la problématique d'une herméneutique des sciences humaines. La conception de Heidegger ne doit-elle pas avoir des conséquences pour une herméneutique qui se propose de rendre justice à la prétention de vérité des sciences humaines ? Gadamer part donc de Heidegger, mais pour renouveler l'intelligence du problème de Dilthey. S'il renoue avec l'interrogation de Dilthey, Gadamer met cependant en question la prémisse de Dilthey selon laquelle seule une *méthodologie* serait à même de rendre compte de la vérité des sciences humaines. C'est un peu le sens du titre *Vérité et méthode* : la vérité n'est pas uniquement une affaire de méthode.

C'est que la méthode se fonde sur la distance de l'observateur par rapport à son objet. Or ce modèle de la « compréhension à distance » est-il vraiment approprié aux sciences humaines ? Le spectateur n'y est-il pas toujours engagé d'une certaine manière ? Cette conception de la compréhension vient largement de Heidegger : comprendre, c'est un « s'y comprendre soi-même ». Mais elle rappelle tout autant la « compréhension participante » de Bultmann.

Le propos initial de Gadamer est de justifier l'expérience de vérité des sciences humaines (et de la compréhension en général) en partant de cette conception « participative » de la compréhension. Elle est constitutive de ce qu'il appelle dans la première ligne de son ouvrage le « problème herméneutique »[1]. Mais ce « problème » avait été recouvert selon lui par la conception trop méthodologique de l'herméneutique proposée par Dilthey. L'idée de Gadamer est que Dilthey succombe à une conception de la vérité inspirée de la méthodologie des sciences exactes, qui déclare anathème toute implication de la subjectivité.

Au lieu de suivre aveuglément cette méthodologie, au reste peu conforme à leur pratique réelle, les sciences humaines feraient bien de s'inspirer de la tradition un peu oubliée de l'humanisme, d'où les sciences humaines tirent pourtant leur appellation *(humaniora)*. La reconquête du problème herméneutique commencera donc par une vigoureuse réhabilitation de la conception humaniste du savoir dans les premières sections de *Vérité et méthode*. Le trait distinctif de l'humanisme est qu'il ne vise pas d'abord à produire des résultats objectivables et mesurables, comme dans

1. H.-G. Gadamer, *Vérité et méthode [VM]*, Le Seuil, 1996, 11 ; *Œuvres complètes [GW]*, t. I, 1.

les sciences méthodiques de la nature ; il espère plutôt contribuer à la formation *(Bildung)* et à l'éducation des individus en développant leur capacité de juger. Dans cet idéal de formation, où se forme un sens commun, un sens commun à tous et un sens de ce qui est commun et juste, se produit une élévation à l'universel, mais qui n'est pas celui de la loi scientifique. Il correspond plutôt à un dépassement de notre particularité qui nous ouvre à d'autres horizons et qui nous apprend à reconnaître, humblement, notre propre finitude. N'y a-t-il pas ici un « mode de connaissance » impliquant l'individu qui peut servir de modèle aux sciences humaines ? Si ce modèle a perdu pour nous sa force contraignante, c'est que le positivisme scientifique a imposé un modèle unique de savoir, celui de la connaissance méthodique, indépendante de l'interprète. Gadamer n'a rien contre le savoir méthodique comme tel, il lui reconnaît toute sa légitimité, mais il estime que son imposition comme seul modèle de connaissance tend à nous rendre aveugles à d'autres modes de savoir. Une réflexion qui voudrait rendre justice à la vérité des sciences humaines, réflexion qui relève bien de ce que l'on peut appeler une « herméneutique », ne serait donc pas nécessairement une méthodologie.

II. – Le modèle de l'art : l'événement de la compréhension

À la recherche d'un autre modèle de savoir que celui de la science méthodique, Gadamer s'inspirera dans la première partie de *Vérité et méthode* de l'expérience de l'art. L'œuvre d'art ne procure pas seulement une jouissance esthétique, elle est d'abord une *rencontre de vérité,* soutient avec force Gadamer. Réduire l'œuvre d'art à une affaire strictement esthétique, c'est faire l'affaire de la conscience méthodique qui revendique un monopole sur la notion de vérité, limitée à l'ordre de ce qui est connaissable scientifiquement. Non, dira Gadamer, il faut aussi reconnaître que l'œuvre d'art a sa vérité. Cet élargissement de la notion de vérité permettra plus tard de mieux rendre justice au mode de connaissance des sciences humaines.

Afin de penser cette rencontre de vérité, Gadamer propose de partir de la notion de « jeu » : comprendre une œuvre d'art, c'est se laisser entraîner dans son jeu. Dans ce jeu, nous sommes moins ceux qui dirigent que ceux qui sont pris, charmés par l'œuvre qui nous amène à participer à une vérité supérieure. Le jeu n'a donc rien de purement subjectif pour Gadamer. Bien au contraire, celui qui joue se trouve plutôt emporté dans une réalité « qui le dépasse ». Celui qui participe à un jeu se plie à l'autonomie du jeu : le joueur de tennis répond à la balle qui lui est envoyée, le danseur suit le rythme de la musique, celui qui lit un poème ou un roman est pris par ce qu'il lit.

Si ce modèle est important, c'est que la « subjectivité » se trouve ici très impliquée, mais elle l'est en se pliant justement à ce que l'œuvre, dans toute son objectivité, lui impose : le sujet se trouve alors engagé dans une rencontre qui le transforme. S'agissant d'une œuvre d'art, le « jeu » se condense en une figure, une œuvre qui captive et qui me découvre quelque chose d'essentiel, à propos de ce qui est, mais aussi à propos de moi-même. À propos de ce qui est, car c'est un *surcroît de réalité* qui en vient à se présenter dans une œuvre, c'est-à-dire une réalité plus puissante et plus révélatrice encore que la réalité elle-même qu'elle représente, mais qu'elle me permet de mieux connaître pour elle-même. Ainsi, c'est le tableau *Dos de Mayo* du (« 2 mai ») de Goya, montrant de pauvres paysans espagnols fusillés à bout portant par les troupes françaises, qui me découvre ce qu'est la réalité de l'occupation de l'Espagne par Napoléon.

Cette rencontre de vérité incarne en même temps une rencontre avec soi. C'est là une vérité à laquelle je « participe » (on pensera encore une fois à Bultmann), car l'œuvre m'interpelle toujours de manière unique. C'est pourquoi il y a une telle variation dans les interprétations des œuvres d'art. Mais l'idée forte de Gadamer est que cette variation est essentielle au sens lui-même. Il serait donc pervers de vouloir l'éradiquer de l'interprétation. L'expérience de vérité ne relève pas pour autant de ma perspective à moi, elle relève avant tout de l'œuvre elle-même qui m'ouvre les yeux sur ce qui est. Il faut distinguer la vérité dont parle Gadamer de la conception pragmatiste qui réduit la vérité à ce qu'elle peut bien avoir d'utile pour moi : ce n'est pas l'œuvre qui doit se plier à ma perspective, mais, au contraire, ma perspective qui doit s'amplifier, voire se métamorphoser, en présence de l'œuvre.

Il y a ainsi dans l'expérience de l'œuvre d'art un jeu rigoureux, entraînant, entre le « surcroît d'être » qui se présente à moi, telle une révélation, sinon un diktat, et la réponse qui est la mienne : nul ne peut rester indifférent devant une œuvre d'art qui nous suspend à sa vérité. Cette révélation, qui transforme la réalité, « transfigurée » et « reconnue » dans une œuvre d'art, nous transforme aussi. L'œuvre d'art me dit toujours : « Tu dois changer ta vie ! »

C'est ce modèle de l'œuvre d'art, et de la rigueur unique qui est la sienne, que Gadamer appliquera aux sciences humaines. Selon Gadamer, la vérité des sciences humaines relève davantage de l'« événement » (qui nous saisit et nous fait découvrir la réalité) que de la méthode. Il est révélateur à cet égard que Gadamer ait d'abord voulu donner à son ouvrage le titre *Compréhension et événement.* Il voulait souligner par là que l'on arrive peut-être trop tard lorsque l'on veut imposer à cette expérience insigne de vérité une méthodologie qui en garantirait l'« objectivité ». Ne cède-t-on pas alors à un idéal méthodique de connaissance, légitime en son ordre, mais qui déforme l'expérience de vérité dont témoignent les sciences humaines et que l'expérience de l'art nous aide à redécouvrir ?

III. – Les préjugés, conditions de la compréhension : la réhabilitation de la tradition

La vieille recette pour fonder la vérité des sciences humaines consistait à exclure les « préjugés » de la compréhension au nom d'une conception de l'objectivité, héritée des sciences exactes. D'une manière assez provocante, Gadamer verra plutôt dans les préjugés des « conditions de la compréhension ». Il s'autorise ici de l'analyse de la structure d'anticipation du comprendre chez Heidegger qui avait montré que la projection de sens était non pas une tare, mais une composante essentielle de toute compréhension digne de ce nom. C'est dans le même esprit que Bultmann avait soutenu qu'il n'y avait pas d'interprétation sans « précompréhension » de l'interprète. Chez Heidegger comme chez Bultmann, cette conception n'ouvrait cependant pas les portes toutes grandes au subjectivisme, car il s'agissait justement de développer des anticipations qui soient adéquates à la chose à comprendre. L'interprétation n'était en effet rien d'autre, chez les deux auteurs, qu'une invitation à un *examen critique* de ses préjugés.

Gadamer commencera lui-même son analyse, on l'a trop peu souligné, en insistant sur ce processus de *révision constante* qui caractérise l'effort d'interprétation : une interprétation juste doit se garantir contre l'arbitraire des idées reçues et diriger son regard sur les choses mêmes[1]. Tout comme Heidegger, Gadamer n'est donc pas l'ennemi de l'idée d'adéquation. Ce qu'il met plutôt en question, c'est l'idéal, issu des Lumières, d'une compréhension qui serait entièrement dépourvue de préjugés.

La subtilité de l'analyse de Gadamer est de montrer que cette hantise des préjugés procède elle-même d'un préjugé non questionné, notamment d'un « préjugé contre les préjugés ». La croisade des Lumières contre les préjugés repose en effet sur l'idée que ne peut être reconnu comme vrai que ce qui a été fondé en raison sur la base d'une certitude première. C'est ce principe qui conduit les Lumières à dévaloriser toute connaissance fondée sur la tradition et l'autorité. Mais c'est méconnaître qu'il peut aussi y avoir des « préjugés légitimes », comme on peut dire en français, des préjugés féconds qui nous viennent de la tradition. Gadamer juge donc que l'opposition entre la raison et la tradition est abstraite, et elle-même tributaire d'une tradition, cartésienne, qui rejette toute vérité qui n'a pas été fondée de manière ultime. Mais y a-t-il vraiment quelque chose de tel, se demande Gadamer, c'est-à-dire une vérité qui ne devrait strictement rien à la tradition et qui serait dès lors entièrement détachée du langage ?

Gadamer ne pense pas ici à une tradition précise (ce qui ferait de lui le « traditionaliste » qu'il n'est

1. *VM,* 287-288 ; *GW* I, 271-272.

pas), il pense plutôt au « travail de l'histoire » qui se trame en amont de la compréhension. La tradition représente ainsi tout ce qui n'est pas « objectivable » dans une compréhension, mais qui la détermine imperceptiblement. La compréhension s'opère à partir de certaines attentes et visées qu'elle hérite du passé et de son présent, mais qu'elle ne peut pas toujours mettre à distance. Si Gadamer maintient l'idéal classique, et heideggérien, d'un examen critique des préjugés, il lui apparaît illusoire d'orienter la vérité de la compréhension sur l'idéal d'une connaissance dépourvue de tout préjugé. Un tel idéal ne rend pas justice, selon lui, à l'historicité constitutive de l'effort de compréhension.

Chez Gadamer, c'est aussi cette historicité qui permet d'espérer résoudre la question critique de l'herméneutique : Comment distinguer les préjugés légitimes, ceux qui rendent la compréhension possible, de ceux qui ne le sont pas et qu'il incombe à la raison critique de surmonter[1] ? Souvent, dira-t-il, c'est le recul du temps, la distance temporelle, qui permet de faire le tri entre les bons et les mauvais préjugés. On le voit par exemple dans l'art contemporain, mais aussi en philosophie : comment distinguer les contributions importantes et originales de celles qui le sont moins ? Ici, seul le recul du temps offre quelque secours, permettant aux grandes percées d'émerger et de se faire valoir. Solution plus ou moins satisfaisante, car elle laisse entière la question de la pondération des œuvres contemporaines, où fait défaut la distance temporelle (mais non toute forme de distance critique), mais aussi parce qu'elle fait fi sans doute des instances où la distance temporelle peut

1. *Ibid.*, 298, 320 ; *GW* I, 281, 304.

obnubiler des grandes œuvres et des interprétations importantes. Si Gadamer insiste sur ce que la tradition peut avoir de découvrant, et à bon droit, il n'a peut-être pas assez souligné ce qu'elle pouvait avoir de recouvrant et parfois de répressif. Mais il est vrai que cette critique présuppose un concept assez « moderne » de tradition, celui-là même que Gadamer cherche à relativiser.

IV. – Le travail de l'histoire et sa conscience

Le concept fondamental de l'herméneutique de Gadamer est celui de *Wirkungsgeschichte*. Le terme allemand, qui existait avant Gadamer, désigne en son sens le plus courant l'histoire de la réception ou, plus simplement, la postérité des œuvres à travers l'histoire. C'est ainsi, par exemple, que l'on peut distinguer l'œuvre de Cervantès de sa postérité, la Révolution française de son influence sur l'histoire. Puisqu'elle désigne un *œuvrer* de l'histoire, dont Gadamer soulignera la productivité, on peut parler ici d'un « travail de l'histoire ».

La discipline de la *Wirkungsgeschichte* fut développée au XIXe siècle par des historiens, fiers de leur « conscience historique » et soucieux d'étudier pour elle-même la postérité des grandes œuvres : l'historien qui veut étudier la pensée de Platon pour elle-même aura le souci de se distinguer de sa postérité et de ses préjugés. La conscience historique du travail de l'histoire devait ainsi permettre d'échapper à son insidieuse détermination, pour le plus grand bien d'une interprétation objective du passé « tel qu'il a réellement été » avant que l'histoire ne lui confère de nouveaux sens.

Gadamer se demande si cet idéal de compréhension, qui cherche à mettre à distance la *Wirkungsgeschichte,* rend bien justice au travail de l'histoire. Le fait d'étudier la postérité pour elle-même implique-t-il que l'on se soustraie par le fait même à son efficace ? Ce n'est pas sûr, car l'interprétation qui prétend « objectiver » le travail de l'histoire se fait elle-même au nom de préjugés et d'un idéal d'objectivité qui sont eux-mêmes le fruit d'un travail souterrain de l'histoire (en l'occurrence, du positivisme). Aux yeux de Gadamer, il paraît moins important d'objectiver ce travail de l'histoire, tâche impossible parce qu'elle prétend se rendre maîtresse de toutes ses déterminations, que de reconnaître que toute compréhension s'inscrit dans un travail de l'histoire, émanant des œuvres elles-mêmes, mais dont elle n'a toujours que partiellement conscience.

Tout le propos philosophique de Gadamer est de développer une *conscience* adéquate de ce travail de l'histoire. Il peut d'abord s'agir, comme chez Heidegger et Bultmann, d'une conscience qui s'efforce de tirer au clair le travail de l'histoire au sein duquel elle se tient afin d'éclairer sa propre situation herméneutique. Cela est tout à fait légitime au sein de la recherche historique, mais il importe tout autant aux yeux de Gadamer de prendre conscience des *limites* d'un tel éclaircissement. C'est que le travail de l'histoire continue de déterminer notre conscience par-delà la conscience que nous en avons. Une conscience finie ne sera jamais maîtresse de toutes ses déterminations. En une ambiguïté essentielle et voulue, la « conscience du travail de l'histoire » désigne donc à la fois, comme le précise la préface à la 2e édition de *Vérité et méthode,* 1 / la conscience ciselée et travaillée par l'histoire, et 2 / la prise de conscience de cet être-déterminé et des limites qu'il impose à l'idéal d'une conscience entièrement transparente à elle-même[1]. L'espoir de Gadamer est que c'est justement la reconnaissance de sa finitude essentielle qui amènera la conscience à s'ouvrir à l'altérité et à de nouvelles expériences.

V. – La fusion des horizons et son application

À l'aune de cette conscience qui s'avise de sa finitude, la compréhension apparaîtra moins comme une activité du sujet que comme un advenir qui relève du travail de l'histoire :

« Le comprendre lui-même doit être pensé moins comme une action de la subjectivité que comme une insertion dans un événement de tradition où se médiatisent constamment le passé et le présent. Voilà ce qu'il faut faire reconnaître dans la théorie herméneutique, qui est beaucoup trop dominée par les idées de procédure et de méthode. »[2]

Cette médiation constante du passé et du présent est à la racine de l'idée gadamérienne d'une « fusion d'horizons ». Comprendre le passé, ce n'est pas sortir de l'horizon du présent, et de ses préjugés, pour se transposer dans l'horizon du passé. C'est plutôt traduire le passé dans le langage du présent, où se fusionnent les horizons du passé et du présent. La fusion est alors si réussie que l'on ne peut plus distinguer ce qui relève du passé ni ce qui relève du présent, d'où l'idée de « fusion ». Mais cette fusion du présent et du passé est aussi, plus fondamentalement, celle de l'interprète et de ce qu'il comprend. Comme nous l'avait appris l'expérience de l'art, la compréhension est une expé-

1. Préface à la 2e édition, traduite dans la première traduction (partielle) de *VM,* Le Seuil, 1976, 14.

2. *VM,* 312 ; *GW* I, 295. Voir mon étude sur La fusion des horizons, *Archives de philosophie,* 68, 2005, 401-418.

rience si fusionnelle que l'on ne peut plus guère distinguer ce qui relève de l'objet et de ce qui relève du sujet qui comprend. Les deux se « fondent » alors en une rencontre réussie du sujet et de l'objet, où l'on peut reconnaître la version gadamérienne de l'*adaequatio rei et intellectus,* de l'adéquation de la chose et de la pensée, qui constitue la définition classique de la vérité.

S'il y a fusion avec le présent, c'est que la compréhension renferme toujours une part d'application. Lorsqu'il comprend, l'interprète y met du sien, mais ce « sien » est tout autant celui de son époque, de son langage et de ses interrogations. On interprète toujours une œuvre à partir des questions, souvent imperceptibles, de notre temps. Comprendre, c'est donc « appliquer » un sens au présent. Gadamer se réclame ici de l'ancienne *subtilitas applicandi* qui faisait encore partie, dans le piétisme du XVIIIe, de la tâche essentielle de l'herméneutique. Pour un pasteur, cette application s'opérait dans l'homélie qui tâchait d'appliquer la compréhension du texte sacré à la situation actuelle des fidèles. Gadamer lui confère une ampleur sans précédent en soutenant que la compréhension n'est rien d'autre que l'application d'un sens au présent. Gadamer s'oppose ici à l'idéal méthodique et reconstructeur de Schleiermacher et Dilthey qui veut exclure l'intervention du présent, perçue comme une menace pour l'objectivité. Peut-on vraiment comprendre, se demande Gadamer, sans faire partie de la compréhension, sans que le présent ne soit impliqué ?

La traduction offre un bel exemple de ce que Gadamer entend par application : traduire un texte, c'est le rendre parlant dans une autre langue. Il va de soi que les ressources de notre langue en viennent alors à s'appliquer. Le sens étranger ne peut être rendu que dans une langue que nous sommes à même de comprendre. En transposant le sens dans une autre langue, le texte traduit en vient à se fusionner (dans le meilleur des cas) avec celui qu'il vient traduire. Une traduction est d'ailleurs d'autant mieux réussie que l'on n'a pas le sentiment de lire une traduction. On voit surtout par là que l'application comporte sa rigueur et sa vérité : on ne peut pas traduire un texte n'importe comment. C'est le texte étranger qu'il s'agit de traduire, mais cela n'est possible qu'en appliquant les ressources de notre langue. Il est donc erroné d'associer l'application de l'interprète à une forme d'arbitraire subjectif. Ce modèle de la traduction n'est pas quelconque, puisqu'il fait apparaître l'élément « langagier » de toute compréhension sur lequel s'achèvera *Vérité et méthode*.

VI. – **Le langage, objet et élément de l'accomplissement herméneutique**

Comprendre, c'est traduire un sens ou être capable de le traduire. Cette traduction implique une mise en langage du sens. Gadamer en tire la conclusion que le *processus* de la compréhension et son *objet* sont essentiellement langagiers. Il y a ici deux thèses. La première est que la compréhension est toujours un processus « langagier ». Sous une forme négative : il n'est pas de compréhension qui ne soit d'une certaine manière une mise en langage. Comprendre, c'est être interpellé par un sens, pouvoir le traduire dans un langage qui est toujours nécessairement le nôtre. Il y a ici fusion entre le processus de la compréhension et sa mise en langage. L'idée de Gadamer est que le langage n'est pas la traduction, seconde, d'un processus intellectuel qui le précéderait et qui pourrait se dérouler sans langage. Non, toute pensée est déjà recherche de langage. Il n'est pas de pensée sans langage. Mais c'est là une évidence que la pensée occidentale se serait entêtée à méconnaître depuis Platon en n'attribuant au langage qu'un statut second par rapport à la pensée autonome. Gadamer y dénonce un oubli du langage qui aurait traversé toute notre tradition occidentale et à laquelle il ne connaît qu'une seule exception : l'idée, entrevue par Augustin, d'une « identité d'essence » fondamentale entre la pensée (le *logos*) et sa manifestation langagière (son incarnation).

Ce langage de la compréhension peut embrasser tout être susceptible d'être compris et n'est donc pas borné à sa propre perspective (celle d'une langue ou d'une communauté particulière) : « La condition langagière de notre expérience du monde ne signifie pas un perspectivisme qui exclurait d'autres perspectives. »[1] L'accent ne porte donc pas sur la limite perspectiviste qu'entraînerait le caractère linguistique de notre compréhension, mais, bien au contraire, sur l'ouverture qu'il implique : le langage, compris à partir du dialogue, peut s'ouvrir à tout ce qui peut être compris et à d'autres horizons langagiers qui viennent élargir les nôtres. La traduction et le dialogue sont en principe toujours possibles. Cela ne veut pas dire que notre langage ne connaisse pas de limites : nos mots sont souvent bien impuissants à exprimer tout ce que nous sentons. Mais les limites du langage sont alors aussi celles de notre compréhension. Toute critique des limites du langage ne peut elle-même se faire qu'au sein du langage. Le langage absorbe ainsi toutes

1. *VM*, 472 ; *GW* I, 452.

les objections que l'on pourrait vouloir élever contre sa compétence. Ainsi, dira Gadamer, l'universalité du langage va de pair avec celle de la raison[1] : celle-ci s'articule elle-même en un langage susceptible d'être compris et reste impensable sans langage.

Mais si l'on peut parler d'une universalité et d'une rationalité dialogique du langage, pour désigner son ouverture à tout sens qui peut être compris, c'est que le langage est la lumière de l'être lui-même. D'où la seconde grande thèse de Gadamer : non seulement l'accomplissement de la compréhension est-il une mise en langage, mais l'*objet* de la compréhension est lui-même langagier. C'est le sens de l'adage célèbre de Gadamer : « L'être qui peut être compris est langage. » Cela va bien sûr de soi pour des textes, mais selon Gadamer, le monde que je comprends est toujours un monde axé sur le langage. Le monde ne se présente toujours à moi qu' « en langage » : ce mur, ce médecin, cette angoisse ne s'offrent pas d'abord à mon regard comme des réalités physiques auxquelles j'accolerais ensuite des désignations. Non, ce que je vois, ce sont un mur, une maison, et c'est une angoisse qui m'étrangle. Tout ce qui peut être compris est un être qui s'articule en langage. Lorsque je cherche à comprendre ce qu'est quelque chose, je cherche un être qui est déjà langage et qui peut dès lors être compris.

Il est capital de voir que l'accent chez Gadamer ne tombe pas sur la mise en langage du monde par un sujet, comme dans la conception de Humboldt qui fait du langage une « vision du monde » ou dans celle de Cassirer qui en fait une « forme symbolique » de notre saisie du monde. L'idée centrale de Gadamer est, plus

1. *VM,* 424 ; *GW* I, 405.

fondamentalement encore, que c'est le langage qui fait ressortir l'être du monde, car c'est lui qui permet de déployer le langage des choses elles-mêmes. Le langage incarne ainsi la « lumière de l'être », où l'être des choses se donne à entendre.

Trop marqués par la pensée moderne, les interprètes n'ont pas toujours bien saisi la portée de cette thèse de Gadamer. Son propos ne consiste pas à dire que le réel est toujours approprié par le langage (qui serait celui d'une langue ou d'une culture historique) et qu'en conséquence, l'être lui-même serait inconnaissable. Il dit, au contraire, que c'est le langage qui nous fait connaître l'être des choses. Gadamer critique sévèrement l'idée moderne (celle de Humboldt et Cassirer, mais qui remonte à Kant) selon laquelle le réel ne recevrait son intelligibilité que de notre langage, de notre vision du monde ou de nos catégories. Le sujet donateur de sens ne se trouve pas « en face » d'un monde d'objets qui serait d'emblée privé de sens et qui n'en recevrait un qu'à partir d'un certain langage. Gadamer dénonce ici une conception nominaliste et instrumentale du langage qui en fait un outil entre les mains du sujet.

Gadamer maintient que le langage est déjà l'articulation de l'être même des choses. Ce n'est pas un instrument dont nous disposons. Il s'agit bien plutôt de l'élément universel au sein duquel baignent et l'être et la compréhension. Cet élément universel de la dimension langagière – du sens, de l'être et de la compréhension – habilite l'herméneutique à élever une prétention à l'universalité. L'herméneutique outrepasse alors l'horizon d'une réflexion sur les sciences humaines pour devenir une réflexion philosophique universelle sur le caractère langagier de notre expérience du monde et du monde lui-même.

Chapitre VI

HERMÉNEUTIQUE ET CRITIQUE DES IDÉOLOGIES

I. – La réaction méthodologique de Betti

Venant confirmer *a posteriori* sa conception du travail de l'histoire, l'herméneutique de Gadamer a suscité de vives discussions philosophiques qui ont contribué à en faire ressortir le sens et la portée. La première réaction est venue du juriste italien Emilio Betti (1890-1968), qui avait présenté une conception rigoureusement méthodologique de l'herméneutique dans sa volumineuse *Théorie générale de l'interprétation* de 1955 (Giuffrè Éd., Milan). Elle se situait dans la tradition de Schleiermacher et Dilthey, mais la synthèse magistrale de Betti était beaucoup plus développée et hiérarchisée que ne l'étaient les esquisses de ses deux grands devanciers. La *Teoria generale* de 1 000 pages a sans doute été peu lue, mais Betti a rédigé deux pamphlets polémiques en allemand où il résumait l'essentiel de sa pensée et qui ont connu un plus grand retentissement : la *Fondation d'une théorie générale de l'interprétation* de 1954 et l'essai de 1962, *L'herméneutique comme méthodologie générale des sciences humaines*[1]. Dans le premier, il n'est évidem-

1. E. Betti, *Zur Grundlegung einer allgemeinen Auslegungslehre,* 1954, rééd. Mohr Siebeck, 1988 ; *Die Hermeneutik als allgemeine Methodik der Geisteswissenschaften,* Mohr Siebeck, 1988.

ment pas encore question de Gadamer, mais Betti s'y attaque déjà aux doctrines « hérétiques » de Heidegger et Bultmann qui veulent voir dans la précompréhension une condition de l'interprétation. Betti défend avec fougue la doctrine classique selon laquelle la précompréhension est plus préjudiciable que profitable à la compréhension correcte. Il reproche à Heidegger d'inverser le lien téléologique naturel entre l'interprétation et la compréhension en faisant de celle-là le déploiement de celle-ci.

L'essai de 1962 assène la première réplique importante à *Vérité et méthode,* suivant une ligne d'attaque prévisible, mais qui permettra à Gadamer de préciser le sens de son herméneutique dans ses réponses, notamment dans la préface à la 2e édition de *Vérité et méthode* et dans son essai de 1965, « Herméneutique et historicisme »[1]. Betti s'en prend surtout à la conception de l'application défendue par Gadamer, lui faisant grief de confondre la signification *(Bedeutung)* d'une œuvre, c'est-à-dire son sens originel du point de vue de son auteur, avec la « signifiance » *(Bedeutsamkeit)* qu'elle peut avoir pour l'interprète actuel. À ses yeux, la tâche essentielle de l'herméneutique n'est pas d'appliquer un sens au présent, ce qui conduirait au subjectivisme, mais de reconstruire l'intention de l'auteur. Betti condamne la « méthodologie herméneutique » que semblait proposer Gadamer, celle qui consisterait à se défaire de la méthode et à s'en remettre à ses propres préjugés. À l'évidence, Betti pensait sans doute que Gadamer avait la même conception, méthodologique, de l'herméneutique que lui.

Gadamer y a vu une mésintelligence de ses intentions véritables. Son propos n'était pas de proposer

1. Dans H.-G. Gadamer, *L'art de comprendre,* t. I, 1982, 49-87.

une nouvelle méthodologie – et surtout pas celle que lui imputait Betti ! –, mais de conduire une réflexion sur l'expérience de vérité des sciences humaines qui cherche justement à dépasser le cadre d'une méthodologie, encore trop inféodée aux sciences exactes. Il atténuait la portée de la distinction entre la signification (originelle) et la signifiance (actuelle) d'une œuvre en se demandant si la signification du passé pouvait vraiment être comprise indépendamment du sens qu'elle a pour nous et qu'elle a acquis au fil du travail de l'histoire.

Mais c'est un autre débat qui a contribué à mieux faire connaître l'herméneutique, celui qui a opposé Gadamer à Habermas.

II. – L'apport de Gadamer selon Habermas

Au cours des années 1960, Jürgen Habermas (né en 1929) travaillait à une logique des sciences sociales qui, un peu comme l'avait fait Gadamer pour les sciences humaines, tentait de justifier l'apport de vérité spécifique des sciences sociales. Sa magistrale *Logique des sciences sociales* (1967) fut d'abord un article paru dans une revue éditée par Gadamer, la *Philosophische Rundschau.* En 1961, le sachant fragilisé à Francfort, Gadamer avait d'ailleurs pris le jeune Habermas sous son aile en lui confiant un poste de professeur à l'Université de Heidelberg.

La *Logique des sciences sociales* prend la forme d'une longue recension critique des principales contributions à l'épistémologie des sciences sociales. Issu de l'école de Francfort, l'intention de Habermas est de montrer que ces sciences sont animées d'un intérêt de connaissance « émancipateur » qui les habilite à critiquer la société existante. Habermas lutte surtout contre les sociologues qui succombent à une conception purement positiviste de leur discipline. Selon eux, les sciences sociales auraient affaire à des données empiriques mesurables et leurs résultats seraient dépourvus de tout intérêt de connaissance, car cela mettrait en péril leur prétention à l'objectivité. Dans sa justification du type de connaissance des sciences sociales, Habermas a pu s'inspirer de Gadamer, mais il a aussi eu à le critiquer. La critique étant peut-être plus célèbre que la solidarité entre les deux penseurs, il est important de rappeler leur accord de fond :

1 / Habermas se solidarise d'abord entièrement avec la critique gadamérienne de « la compréhension objectiviste que les sciences humaines traditionnelles ont d'elles-mêmes » : « L'homme de science qui procède à une interprétation restant lié à son point de départ herméneutique, il s'ensuit que l'objectivité de la compréhension ne peut être assurée par la mise entre parenthèses des préjugés, mais seulement par une réflexion sur le contexte historique de traditions qui relie depuis toujours les sujets connaissants à leurs objets. »[1] Habermas en tire la leçon que le chercheur social est concerné par son objet, dont il fait partie, et qu'il a tout à gagner à prendre conscience des préjugés, émancipateurs selon lui, qui orientent sa recherche.

2 / Habermas a aussi beaucoup appris de la conception gadamérienne du langage. Il est clair que l'on ne peut comprendre l'agir social en faisant abstraction du langage dans lequel cet agir s'articule, se comprend, mais aussi se réfléchit lui-même. Mais c'est quelque chose de plus important encore qu'il a découvert chez

1. J. Habermas, La prétention à l'universalité de l'herméneutique, *Logique des sciences sociales,* PUF, 1987, 245-246.

Gadamer, notamment l'idée selon laquelle le langage ne constitue pas un univers clos, comme dans la théorie wittgensteinienne des « jeux de langage » (que Habermas critiquera à l'aide de Gadamer). Le langage se trouve plutôt investi d'une *capacité à se dépasser lui-même*. La preuve en est qu'il est toujours possible de *traduire* un contenu de sens étranger, comme l'avait montré Gadamer. Le langage peut ainsi s'ouvrir à tous les horizons de sens possibles et surmonter les limites d'un cadre linguistique donné : « Les cercles langagiers ne sont pas fermés monadiquement sur eux-mêmes, mais poreux : ouverts aussi bien vers l'extérieur que vers l'intérieur. »[1] Vers l'extérieur en ce qu'ils peuvent accueillir tout contenu étranger et le traduire, mais aussi vers l'intérieur dans la mesure où le langage est à même de transcender ses propres expressions, de les nuancer et d'en trouver de nouvelles pour ce qui veut être compris. Cette ouverture atteste aux yeux de Habermas le *potentiel de rationalité* inhérent au langage lui-même[2]. La raison, dira-t-il plus tard, est assise dans le langage dans la mesure où celui-ci est à même de se transcender lui-même. Impressionnante réception – et application ! – de l'herméneutique gadamérienne que celle de Habermas, mais qui se double d'une critique sévère.

III. – La critique de Gadamer par Habermas

Si Gadamer a découvert le potentiel d'une « rationalité communicative », susceptible de dépasser les limites d'un langage donné, il aurait compromis la

1. *Ibid.*, 190.
2. *Ibid.*, 185.

portée de sa découverte, selon Habermas, en soutenant que la compréhension se fondait sur la tradition ou l'accord préexistant qui porte une communauté donnée. Or il est possible de transcender cet accord préexistant par une « critique des idéologies ». Son propos est justement de mettre en question l'idéologie régnante d'une société donnée ou d'un groupe comme une forme « systématiquement distordue de communication », tordue parce qu'elle détourne la communication de sa fin naturelle, qui est l'entente entre les interlocuteurs. Cette critique se conduit donc au nom d'une situation de communication idéale, irréelle sans doute, mais qui n'en serait pas moins anticipée en tout acte de discours s'il est vrai que celui-ci est animé d'une volonté de communication. De même que le psychanalyste est à même de diagnostiquer un blocage communicationnel chez un patient, de même le thérapeute social peut démasquer le pseudo-consensus qui porte une société donnée comme une forme de « fausse conscience ». Mais en mettant en question l'accord préexistant d'une communauté donnée, on quitterait le terrain de l'herméneutique pour entrer dans celui de la « critique des idéologies ». Se détachant, grâce au travail de la réflexion, du cadre de la tradition, elle élaborerait un système de référence normatif[1] qui lui permettrait de secouer l'appartenance irréfléchie à la tradition : comme le confirme une nouvelle fois la psychanalyse, une tradition portée à la conscience par la réflexion cesserait de nous déterminer. Habermas reproche ainsi à Gadamer « d'ériger

1. *Logique des sciences sociales,* 215 : « Le droit de la réflexion réclame l'autolimitation de l'approche herméneutique. Il demande un système de référence qui dépasse le contexte de tradition en tant que tel. »

les traditions culturelles en absolu »[1]. Seulement, lorsque l'on considère la critique de Habermas de plus près, on se rend compte qu'il cherche aussi à penser « avec Gadamer contre Gadamer »[2]. Car c'est bien la conception gadamérienne du langage et sa capacité d'autotranscendance qu'il retourne contre la conception gadamérienne de la tradition.

Mais peut-on vraiment parler d'une absolutisation des traditions culturelles chez Gadamer ? Ce n'est pas sûr. Gadamer reconnaît parfaitement qu'il est possible de transcender les limites, disons « idéologiques », d'un langage ou d'une situation donnée. N'est-ce pas d'ailleurs le grand mérite que Habermas reconnaît à sa conception du langage ? De plus, Gadamer avait déjà souligné dans *Vérité et méthode* que l'autorité d'une tradition n'avait rien d'autoritaire, mais qu'elle reposait sur un acte de reconnaissance et de la raison[3], car elle est avant tout la reconnaissance d'une supériorité. Il ne s'agit donc jamais chez Gadamer de faire de la tradition un critère absolu. Gadamer l'a d'ailleurs réitéré dans sa réponse à Habermas, sous le titre, évocateur, « Rhétorique, herméneutique et critique des idéologies » : « Il me semble faux de dire que l'on fait ici de la tradition culturelle un absolu. »[4]

Le différend porte plutôt sur la question de savoir si, en transcendant les limites d'une tradition donnée au nom de la critique des idéologies, on sort vraiment

1. *Ibid.*, 218.
2. *Ibid.*, 215.
3. *VM*, 300 ; *GW* I, 284.
4. H.-G. Gadamer, *Herméneutique et philosophie*, Beauchesne, 1999, 97-98. Ricœur l'a bien compris (*Temps et récit*, t. 3, Le Seuil, 1985, 320) : « Donner des traditions une appréciation positive n'est pourtant pas encore faire de la tradition un critère herméneutique de la vérité. »

de l'univers herméneutique, et si la prise de conscience d'une tradition par la réflexion suspend tout à fait la détermination de la tradition.

Il est incontestable que la réflexion peut souvent briser ou suspendre la force d'une tradition « distordue ». Lorsque je me rends compte que je suis victime d'un préjugé déformant, il peut cesser de me paralyser à partir du moment où il est réfléchi. Mais cela aussi, Gadamer le reconnaissait très clairement quand il écrivait que la tâche critique de l'herméneutique était d'élaborer des préjugés qui soient *conformes à la chose*[1]. Seulement, la réflexion ne dissout pas pour autant *toute appartenance à la tradition.* La réflexion critique d'une tradition s'inscrit elle-même dans un travail de l'histoire. Je ne peux mettre en question une tradition qu'à partir d'une autre, même si je ne m'en rends pas expressément compte. La mise en question d'une tradition ne se fait pas en vertu d'un « système de référence » qui serait indépendant du travail de l'histoire.

Si Gadamer reconnaît qu'il est possible de dépasser les limites d'une tradition culturelle, il doute donc que le dépassement de l'accord existant puisse se faire depuis le point d'Archimède d'une critique des idéologies qui prétend diagnostiquer les « pathologies » de la société. Cette transposition du modèle psychanalytique aux pathologies d'une société apparaît plus que problématique aux yeux de Gadamer. Le rôle du psychothérapeute est bien différent de celui du sociologue. Dans une cure psychanalytique, on est bel et bien en présence d'un malade qui sollicite la compétence reconnue d'un thérapeute. Mais n'est-il pas présomptueux de la part du chercheur social de prétendre

1. *VM,* 288, 298 ; *GW* I, 272, 281-282.

qu'une partie de la société est foncièrement « malade » et de s'arroger une compétence de « thérapeute social » ? Y a-t-il ici un patient et une compétence thérapeutique bien reconnus ?

On ne quitte donc pas l'univers herméneutique en s'adonnant à la critique des idéologies. Le dépassement de l'accord existant ne s'opère pas à partir du système de référence d'une critique des idéologies, sûre d'elle-même et soi-disant détachée de la tradition, il s'accomplit toujours au sein de la compréhension et du dialogue herméneutiques eux-mêmes, quand les participants s'avisent de leurs limites et accèdent à une meilleure intelligence. La réflexion, du fait qu'elle est elle-même une « compréhension » et qu'elle se déploie dans un langage susceptible d'être compris, relève donc encore de l'herméneutique et s'inscrit dans un advenir de traditions.

Habermas se tient lui-même au sein d'une tradition, plus ou moins consciente, et plus ou moins dissoute par la réflexion. La meilleure façon de le montrer est d'ailleurs de rappeler, avec plus d'une génération de recul, le contexte politique et social qui formait à l'évidence la toile de fond de la critique de Habermas, celui de la révolte étudiante de 1968 et sa mise en question aveugle de toute autorité fondée sur la tradition. Dans un contexte politique aussi chargé, Gadamer ne pouvait apparaître que comme le « conservateur » (qu'il n'a jamais voulu, ni prétendu être), alors que Habermas, se réclamant de la force émancipatrice de la critique marxiste des idéologies et de la psychanalyse, s'octroyait le beau rôle du progressiste. L'ironie, criante quand on y pense, était la suivante : celui qui défendait avec le plus d'ardeur le point de vue de la critique des idéologies était peut-être celui dont le discours était le plus évidemment idéologisé.

Comme Gadamer l'a susurré beaucoup plus tard, ce qui manquait peut-être à la critique des idéologies, c'était une petite dose de critique des idéologies[1], en commençant par les siennes.

Habermas l'aura reconnu à sa façon. Après son débat épique avec Gadamer, il a de plus en plus renoncé à la rhétorique de la critique des idéologies et à son idée d'une psychanalyse élargie à l'ordre social, vouant tous ses efforts à l'élaboration d'une *Théorie de l'agir communicatif* (1981), dont le cœur est une éthique du discours fondée sur la capacité du langage à se transcender lui-même. Intuition herméneutique, s'il en est, puisqu'elle repose sur l'idée gadamérienne selon laquelle le langage vise d'abord l'entente avec autrui. Or cette visée d'entente, soutient avec raison Habermas, est impensable sans un certain engagement éthique de la part des interlocuteurs : elle présuppose en effet un certain idéal de réciprocité, d'authenticité et une volonté de se rendre à la force du meilleur argument. En ne cherchant plus à fonder ces normes sur une critique des idéologies ou sur l'anticipation d'une situation de communication idéale, mais sur l'usage pragmatique du langage, on peut dire que le dernier Habermas s'est rapproché de Gadamer.

1. Entretien avec C. Barkhausen, dans *Sprache und Literatur in Wissenschaft und Unterricht,* W. Fink, 1986, 97.

Chapitre VII

PAUL RICŒUR : UNE HERMÉNEUTIQUE DU SOI HISTORIQUE FACE AU CONFLIT DES INTERPRÉTATIONS

I. – Un parcours arborescent

Rien n'est plus injuste que d'aborder l'apport de Ricœur après celui de Gadamer et Habermas. Si nous nous y résolvons, c'est uniquement parce que Ricœur a fondé l'*une* de ses interventions herméneutiques sur une tentative de conciliation des pensées de Gadamer et de Habermas[1]. Mais il y rattachait le conflit entre l'herméneutique et la critique des idéologies à une distinction entre deux types d'herméneutique, de la confiance et du soupçon, qu'il avait distingués bien avant la confrontation célèbre entre Gadamer et Habermas. L'idée de Ricœur, et peut-être l'idée fondamentale de son herméneutique, est qu'il faut penser ensemble ces deux herméneutiques, celle qui s'approprie le sens tel qu'il se donne à la conscience en attente d'orientation et celle qui met à distance l'expérience immédiate du sens pour la reconduire à une économie plus secrète.

Ricœur en est venu à cette idée en suivant une trajectoire bien distincte de celle de Gadamer. Elle en est même tout à fait indépendante. Ses fondements ont

1. Herméneutique et critique des idéologies (1973), *Du texte à l'action [TA]*, Le Seuil, 1986.

été jetés dans des œuvres parues au cours des années 1950 et 1960, comme *La philosophie de la volonté* (1950, 1960), *De l'interprétation* (1965) et *Le conflit des interprétations* (1969), où la présence de Gadamer n'est pas du tout sensible. Elle restera d'ailleurs assez discrète dans les ouvrages ultérieurs de Ricœur. Pourtant, tous deux s'abreuvent à la même tradition herméneutique de Schleiermacher, Dilthey, Bultmann et Heidegger, mais à des degrés divers et dans des intentions différentes. Gadamer est certainement beaucoup plus critique de Dilthey et plus proche de Heidegger, son herméneutique universelle cherchant à dépasser le paradigme méthodologique de l'herméneutique. Ricœur, pour sa part, n'a jamais voulu donner congé à la problématique méthodologique et épistémologique de l'herméneutique. On pourrait donc le dire plus proche de Dilthey, mais ce serait une simplification.

Le parcours de Ricœur est en effet beaucoup plus complexe, procédant d'autres sources et se laissant peut-être moins réduire à la seule tradition herméneutique que celui de Gadamer. Il s'est développé au fil de plusieurs grands livres, qui s'étendent sur une période de près de soixante ans, de 1947 à 2004, alors que l'herméneutique de Gadamer se concentre en un seul livre, présentant une théorie plus systématique et qui a peut-être suscité plus de débats herméneutiques majeurs que celle de Ricœur. Les ouvrages de Ricœur s'intéressent à une foisonnante diversité de disciplines : la philosophie de l'existence – d'où il est parti, et où il était plus près d'auteurs comme Gabriel Marcel et Karl Jaspers que de Heidegger –, la théorie de la connaissance historique, l'interprétation de la Bible, la psychanalyse, la théorie linguistique, la théorie de l'action, la phénoménologie du temps, de la mémoire et de la reconnaissance, la théorie du récit et l'éthique.

Dans chacun de ses livres, Ricœur brosse de vastes fresques historiques qui cherchent à réconcilier les approches les plus diverses. C'est le trait secrètement « hégélien » de cette pensée, qui résiste néanmoins à l'idée d'une synthèse totalisante (un titre de chapitre important de *Temps et récit* dira qu'il faut « Renoncer à Hegel » au nom de l'inachèvement de la vie et de la finitude humaine). L'envers de cette richesse est qu'il peut parfois paraître difficile de cerner le noyau de sa conception herméneutique. L'unité est le seul problème que pose cette pensée herméneutique. Problème tout relatif cependant, car il est le fait d'une surabondance.

Mais unité il y a bel et bien. On peut la comprendre à partir des premières impulsions du parcours de Ricœur. Elles sont à chercher dans la tradition française de la philosophie réflexive, celle qui remonte à Ravaisson, Lachelier et Bergson et que prolongeaient des auteurs proches de Ricœur comme Nabert et Marcel. La philosophie réflexive part de l'autoréflexion de l'*ego,* dans la tradition du « connais toi-même » de Socrate et des méditations de Descartes. Cette tradition a très tôt attiré Ricœur vers l'existentialisme de Jaspers et la phénoménologie de Husserl, arquée sur un « *ego* transcendantal » qui cherche à rendre raison de son expérience.

Envoûté par la philosophie de l'existence et sa radicalisation de la problématique éthique, le sujet y étant pensé comme tâche pour soi-même, Ricœur a d'abord voulu étendre l'analyse phénoménologique de Husserl au phénomène de la volonté, dans la première partie de sa *Philosophie de la volonté* (1950). L'herméneutique y est assez absente, mais apparaît avec force dans le second tome, *Finitude et culpabilité* (1960), et plus particulièrement dans le deuxième volume de ce livre consacré à la *Symbolique du mal.* C'est ici que se met en œuvre son « tournant herméneutique » ou ce qu'il appellera plus tard sa « greffe de l'herméneutique sur la phénoménologie ».

Son motif de fond est que l'*ego* ne peut pas se connaître directement, par introspection, il ne peut se comprendre que par la voie indirecte de l'*interprétation* des grands symboles (Adam et Ève, Job, l'orphisme, etc.) qui s'efforcent de donner un sens au problème du mal. Suivant ce que Ricœur a plus tard appelé sa « première définition de l'herméneutique », celle-ci « était alors expressément conçue comme un déchiffrement des symboles, entendus eux-mêmes comme des expressions à double sens »[1]. Dans cette perspective, l'interprétation est « le travail de pensée qui consiste à déchiffrer le sens caché dans le sens apparent, à déployer les niveaux de signification impliqués dans la signification littérale »[2].

C'est le premier sens de son « détour herméneutique », bien différent de celui de Heidegger et Gadamer. Si le détour par le côté « objectal » des expériences lui a été inspiré par Nabert[3], le terme d'herméneutique renvoie à Dilthey et Bultmann pour lesquels l'herméneutique était la théorie de l'interprétation des manifestations vitales fixées par écrit.

Ricœur n'ignorait pas, bien entendu, que Heidegger avait voulu *dépasser* Dilthey, mais il a toujours voulu résister à son « ontologisation » de l'herméneutique, c'est-à-dire à la confusion de l'herméneutique avec l'accomplissement fondamental de l'existence. Cette

1. P. Ricœur, *Réflexion faite. Autobiographie intellectuelle,* Esprit, 1995, 31.
2. P. Ricœur, *Le conflit des interprétations,* Le Seuil, 1969, 16.
3. P. Ricœur, *Parcours de la reconnaissance,* Stock, 2004, 142.

« véhémence ontologique » perdrait de vue selon lui l'orientation épistémologique, et par conséquent critique, de l'herméneutique de Dilthey[1].

II. – Une phénoménologie devenue herméneutique

Malgré sa résistance à l'herméneutique de Heidegger, Ricœur défend lui-même l'idée d'un « tournant herméneutique » de la phénoménologie. Il prend cependant un autre sens que chez Heidegger. Ce tournant se justifie chez lui à partir de l'impossibilité d'un accès direct aux phénomènes et à l'*ego* lui-même. À ses yeux, « ce que l'herméneutique a ruiné, ce n'est pas la phénoménologie, mais une de ses interprétations, à savoir son interprétation *idéaliste* par Husserl lui-même »[2]. Ce que l'herméneutique a ruiné, c'est plus spécialement 1 / l'idéal husserlien de scientificité, axé sur une fondation ultime, 2 / la primauté de l'intuition comme voie d'accès aux phénomènes, 3 / le primat cartésien et husserlien d'une immanence du sujet à lui-même, 4 / le statut de principe ultime qui se trouve alors reconnu au sujet, et enfin 5 / la conception encore trop théorique de l'autoréflexion au sein de la phénoménologie husserlienne : étant l'acte immédiatement responsable de soi, la prise de conscience du sujet développe des implications éthiques, que la suite du parcours de Ricœur approfondira toujours davantage.

Sur l'arrière-fond de cette critique, Ricœur propose de développer pour sa part une phénoménologie herméneutique qui emprunte la voie des objectivations comme le détour obligé de la connaissance de soi. On

1. P. Ricœur, *TA,* 95. Voir J. Greisch, *L'itinérance du sens,* 140.
2. *TA,* 39.

note que l'herméneutique vient ici qualifier la phénoménologie. C'était un peu l'inverse chez Gadamer, qui proposait, lui, une herméneutique phénoménologique, c'est-à-dire une herméneutique qui faisait retour au phénomène de la compréhension en le délestant de son carcan méthodologique. On peut donc parler chez Ricœur d'un tournant herméneutique de la phénoménologie et chez Gadamer d'un tournant phénoménologique de l'herméneutique[1].

Si Ricœur insiste sur l'infléchissement herméneutique de la phénoménologie, il ne faudrait pas oublier selon lui les présuppositions encore phénoménologiques de l'herméneutique. La première est que « toute question portant sur un étant quelconque est une question sur le *sens* de cet étant ». Mais ce sens est d'abord dissimulé, opaque, et doit être tiré au clair par un effort herméneutique. « Le choix pour le sens est donc la présupposition la plus générale de toute herméneutique. » Seulement, cela « n'implique aucunement qu'une subjectivité transcendantale ait la maîtrise souveraine de ce sens vers quoi elle se dirige. Au contraire, la phénoménologie [peut] être tirée dans la direction opposée, à savoir du côté de la prééminence du sens sur la conscience de soi »[2]. La seconde présupposition phénoménologique est que l'herméneutique doit faire droit à l'expérience de la « distanciation » : si la conscience se caractérise d'abord par son appartenance au sens, ce sens peut être mis à distance et interprété. La troisième présupposition est que l'herméneutique reconnaît, comme Husserl, le *caractère dérivé* de l'ordre linguistique, par rapport au sens et aux choses. Ici, Ricœur paraît s'éloigner de Gadamer. Ce n'est pas tout à fait

1. Voir mon étude sur cette question dans *Le tourment herméneutique de la phénoménologie,* PUF, 2003, 84-102.
2. *TA,* 57.

vrai, car Gadamer défendait aussi, pour parler comme Habermas, l'idée d'une « porosité » essentielle du langage, ouvert à toute chose et capable de se transcender soi-même. Ricœur en tire la conclusion que l'ordre linguistique n'est pas autonome et qu'il renvoie à une expérience du monde. Mais cette expérience ne se donne que par le biais d'une herméneutique qui se consacre l'interprétation des objectivations de sens.

III. – Le conflit des interprétations : l'herméneutique de la confiance et du soupçon

Mais *comment* interpréter les objectivations de sens ? C'était un peu la question de l'herméneutique classique et ce sera la question de Ricœur. Peut-on s'abandonner à l'immédiateté du sens tel qu'il se donne, suivant ce qui semble être l'orientation fondamentale de l'exégèse biblique et que Ricœur suivait encore dans le détour herméneutique de la *Symbolique du mal* de 1960 ? Si la question se pose avec autant d'acuité, c'est que Ricœur, après avoir terminé cet ouvrage, s'est vu confronté à d'autres interprétations, plus réductrices, qui mettent justement en question cette lecture naïve du sens. Il en est ainsi venu à mettre en relief deux formes distinctes d'interprétation qui sont en apparence incompatibles :

1 / La première relève d'une *herméneutique de la confiance* ou de la « récollection du sens » : elle prend le sens tel qu'il se propose à la compréhension et qu'il oriente la conscience, sens où se révèle une vérité plus profonde et qu'il appartient à une herméneutique amplifiante d'explorer. Ricœur parle ici d'une téléologie du sens. Cette herméneutique, dont les paradigmes sont l'exégèse biblique et la phénoménologie de la

conscience, est vouée à la *compréhension* du sens, au sens plein que lui donnait Dilthey : elle s'ouvre aux possibilités de sens et au vécu qui se donne à comprendre derrière les expressions.

2 / Vient cependant s'y opposer une *herméneutique du soupçon* qui se méfie du sens tel qu'il s'offre, car il peut abuser la conscience. Ce qui apparaît comme vérité peut n'être qu'une erreur utile, un mensonge ou une déformation dont une herméneutique de la suspicion se propose de reconstruire l'archéologie souterraine. Cette archéologie peut être idéologique, sociale, pulsionnelle et structurale. C'est une telle herméneutique que défendent les « maîtres du soupçon » : Feuerbach, Marx, Nietzsche, Freud et le structuralisme. À l'herméneutique amplifiante, téléologique, de la confiance vient ainsi répondre une interprétation *réductrice,* vouée non pas à la compréhension, mais à l'*explication* des phénomènes de la conscience, reconduits à une économique secrète et refoulée et qui s'inspire volontiers des modèles d'explication des sciences exactes.

Issu de la philosophie réflexive et de l'existentialisme, on pourrait soupçonner Ricœur d'être plus proche de la phénoménologie et de l'herméneutique de la confiance. Ce n'est pas tout à fait le cas. Dans ses livres des années 1960, il s'est en effet surtout consacré aux maîtres du soupçon, notamment à Freud, dans *De l'interprétation* (1965), et au structuralisme dans *Le conflit des interprétations* (1969). Ricœur y préconise une approche extraordinairement conciliante, qui ne renie rien de l'herméneutique réductrice de la suspicion. Son idée directrice est qu'il faut aller à l'école du soupçon si l'on veut détruire les illusions de la conscience naïve. Cette destruction s'avère salutaire à la conscience, car elle arrive alors à mieux se comprendre elle-même. Si le moi se perd dans l'herméneutique du soupçon, ce n'est que pour mieux se retrouver, affranchi de ses illusions.

En reconnaissant ainsi un droit égal aux deux grandes stratégies interprétatives, Ricœur démontre qu'il conserve un sens aigu des « objectivations » et des « constructions de sens » qu'il s'agit d'interpréter. C'est ce qui l'amène à résister à la tentative heideggérienne de tout subordonner à une herméneutique ontologique de la compréhension[1], mais aussi à la tentative gadamérienne de mettre en question la primauté de la distance méthodique. Pour Gadamer, comprendre, ce n'est pas se trouver en face d'une objectivation qu'il faudrait décoder, c'est être-pris, être-habité par le sens. Gadamer parlait dès lors d'une fusion entre le sens et celui qui le comprend. C'est cet événement de compréhension que l'herméneutique devait s'efforcer de justifier. Ricœur se méfie, pour sa part, de cette fusion et situe d'emblée la compréhension face à des objectivations, que les approches objectivantes de la psychanalyse et du structuralisme nous aideraient à décoder. Mais elles ne sauraient avoir le dernier mot, car c'est toujours une conscience qui cherche alors à mieux se comprendre. Suivant la grande devise de Ricœur à cette époque : « Expliquer plus, c'est comprendre mieux. »

IV. – Une nouvelle herméneutique de l'explication et de la compréhension, inspirée de la notion de texte

Ricœur renouvelle par là l'intelligence de la distinction faite par Dilthey entre l'explication des sciences

1. *TA*, 33.

exactes et la compréhension des sciences humaines. Mais il s'agit moins chez Ricœur d'une distinction méthodologique entre deux types de science que de deux opérations complémentaires de la conscience dans ce qu'il appellera de plus en plus l' « arc herméneutique de l'interprétation », c'est-à-dire l'ensemble des opérations entrelacées qui composent l'effort herméneutique. Une conscience critique doit se méfier de l'évidence immédiate du sens qu'elle comprend et qu'elle s'approprie naturellement. Elle doit accepter que ce sens puisse être mis à distance par le détour décapant d'une explication qui dénonce les illusions de la conscience.

On comprend que Ricœur ait voulu associer Habermas à une herméneutique de la distanciation et Gadamer à une herméneutique de l'appartenance. Sous ces désignations nouvelles, on reconnaît sans peine les herméneutiques du soupçon et de la confiance : si Gadamer met l'accent sur l'appartenance de la compréhension au sens transmis par la tradition, la critique des idéologies met en garde contre l'idéologisation que recèle peut-être cette intelligence. La conscience herméneutique, donc réfléchie selon Ricœur, ne saurait se permettre d'ignorer les leçons d'une herméneutique de la désappropriation. Une conscience désappropriée de ses illusions ne s'approprie-t-elle pas mieux elle-même ?

En approfondissant cette dialectique de l'expliquer et du comprendre, un thème nouveau s'est fait jour dans l'itinéraire de Ricœur au début des années 1970, que l'on peut associer à la notion de texte. Il a mené à un élargissement de sa première conception de l'herméneutique : celle-ci ne sera plus seulement vouée au déchiffrement des symboles à double sens, elle aura affaire à tout ensemble de sens susceptible d'être compris et que l'on peut appeler un « texte »[1]. Mais comment interpréter les textes ? Encore ici, Ricœur a été très marqué par les approches structurales et sémiotiques (celle de Greimas en particulier) qui considèrent le texte comme une unité autoréférentielle, refermée sur elle-même. La prise en compte de ces interprétations incarne aux yeux de Ricœur la première étape nécessaire dans l'arc de l'interprétation : « Une nouvelle époque de l'herméneutique est ouverte par le succès de l'analyse structurale : l'explication est désormais le chemin obligé de la compréhension. »[2] Mais l'analyse structurale ne saurait être la seule. C'est que le monde d'un texte n'est jamais clos sur lui-même, il ouvre un monde que la conscience peut habiter. La notion de texte renvoie d'ailleurs d'elle-même à un acte de lecture où le monde du texte se trouve approprié par un lecteur qui en arrive ainsi à mieux se comprendre. C'est désormais dans la lecture que s'accomplira l'herméneutique amplifiante du sens : « L'interprétation d'un texte s'achève dans l'interprétation de soi d'un sujet qui désormais se comprend mieux, se comprend autrement, ou même commence de se comprendre. »[3] La tâche essentielle de l'herméneutique sera donc double : il s'agit de « reconstruire la dynamique interne du texte [et de] restituer la capacité de l'œuvre à se projeter au-dehors dans la représentation d'un monde que je pourrais habiter »[4].

Cette dialectique de l'explication qui met à distance et de la compréhension qui déploie le monde du texte mène à une conception plus ample de l'herméneutique :

1. P. Ricœur, Qu'est-ce qu'un texte ?, *TA,* 137-159.
2. *TA,* 110.
3. *TA,* 152.
4. *TA,* 32.

« La dialectique nouvelle affrontait deux opérations [l'expliquer et le comprendre] que W. Dilthey avait fortement opposées au début du siècle. Or le traitement de cette situation conflictuelle entraînait un remaniement de ma conception antérieure de l'herméneutique qui était restée jusque-là solidaire de la notion de symbole, comprise comme expression à double sens, et avait trouvé son style conflictuel dans la concurrence entre interprétation réductrice et interprétation amplifiante. La dialectique entre expliquer et comprendre, déployée au niveau du texte en tant qu'unité plus grande que la phrase, devenait la grande affaire de l'interprétation et constituait désormais le thème et l'enjeu de l'herméneutique. »[1]

Dans *Du texte à l'action,* Ricœur adopte dès lors la définition suivante de l'herméneutique : elle est « la théorie des opérations de la compréhension dans leur rapport avec l'interprétation des textes »[2]. Ce qui a de plus en plus fasciné Ricœur ici, c'est l'extension presque infinie dont peut bénéficier la notion de « texte ». Tout ce qui est susceptible d'être compris peut être considéré comme un texte : non seulement les écrits eux-mêmes, bien sûr, mais aussi l'action humaine et l'histoire, tant individuelle que collective, qui ne sont intelligibles que dans la mesure où elles peuvent être lues comme des textes. L'idée qui en découle est que la compréhension de la réalité humaine s'édifie par le biais des textes et des récits. L'identité humaine doit ainsi être comprise comme une identité essentiellement narrative. La théorie du récit historique, développée dans les années 1980, permettra d'apporter une nouvelle réponse à la question directrice de toute philosophie réflexive : Qui suis-je ?

1. *Réflexion faite,* 49.
2. *TA,* 75.

V. – L'herméneutique de la conscience historique

Le soi qui ressort des herméneutiques du soupçon et de la distanciation est très certainement un *cogito* brisé, dit souvent Ricœur. Il doit renoncer à l'idéal d'une transparence intégrale, mais il ne peut pas ne pas se comprendre à partir des objectivations de sens, des grands « textes », littéraires, philosophiques et religieux, transmis par l'histoire de l'humanité et dans lesquels se configure son expérience radicale de la temporalité. C'est dans *Temps et récit* (1982-1985) que Paul Ricœur a présenté cette nouvelle conception de l'herméneutique. Elle se situe dans la continuité de l'ampleur nouvelle qu'il a reconnue à la notion de texte (et de lecture) dans son herméneutique de l'expliquer et du comprendre, mais elle se trouve plus directement mise au service d'une phénoménologie de notre temporalité essentielle : le soi ne peut donner un sens à son expérience radicale et insurmontable du temps que par le truchement de la configuration narrative. Le « soi brisé » et qui se sait tel peut alors s'aviser de ses modestes mais réelles « capacités » de reconfigurer son propre monde. L'herméneutique narrative de Ricœur soulignera courageusement les deux aspects : le caractère tragique de la condition humaine, qui ne parviendra jamais à une compréhension totalisante d'elle-même, mais tout autant la réponse de l'homme à cette aporie, la part d'initiative qui lui revient, malgré tout, en tant qu'homme capable.

Dans le dernier tome de *Temps et récit,* les deux moments s'entrecroisent dans une « herméneutique de la conscience historique ». La formule n'est pas sans rappeler Gadamer et son idée d'une herméneutique de la conscience du travail de l'histoire. Ricœur y reconnaît à Gadamer le mérite d'avoir justement insisté sur l' « être-affecté-par-le-passé » : « nous ne sommes les agents de l'histoire que pour autant que nous en sommes les patients », car « nous ne sommes jamais en position absolue d'innovateurs, mais toujours d'abord en situation d'héritiers ». Cette condition tient d'abord, comme chez Gadamer, à notre condition langagière : « Le langage est la grande institution – l'institution des institutions – qui nous a chacun dès toujours précédés. » En tant qu'êtres parlants, nous sommes non seulement dépendants du système de la langue, sur lequel insistent les approches structurales, mais aussi des « choses déjà dites, entendues et reçues ». Le monde tel que nous l'éprouvons est donc un monde qui s'exprime en un langage et à travers une identité historique qui sont d'abord reçus. C'est pourquoi, dit maintenant Ricœur, « la prise de distance, la liberté à l'égard des contenus transmis ne peuvent être l'attitude première »[1]. Ricœur se rapproche ici beaucoup de Gadamer, plus peut-être que nulle part ailleurs dans son œuvre.

Mais il est encore une fois moins soucieux de contenir la distance méthodique, objectivante, que de l'intégrer à l'herméneutique de la conscience historique. Selon Ricœur, Gadamer aurait lui-même reconnu la nécessité de cette intégration en insistant sur la notion d'application et l'idée que la compréhension était toujours le résultat d'une fusion d'horizons entre le passé et le présent. Le présent a son mot à dire dans l'événement de tradition qu'est la compréhension, mais c'est une réponse qui se profile sur le fond d'une appartenance primordiale. Ricœur en vient dès lors à

1. *Temps et récit,* t. III, 313, 320, 321, 324.

qualifier de « regrettable »[1] la polémique qui avait opposé l'herméneutique à la critique des idéologies. C'est que les positions de Gadamer et Habermas procéderaient de « deux lieux différents », la réinterprétation des textes reçus de la tradition chez l'un et la critique des formes idéologiques de communication distordue chez l'autre. On ne pourrait donc pas superposer sans plus ce que Gadamer appelle préjugé, au sens du préjugé favorable, et le phénomène idéologique qui intéresse Habermas, c'est-à-dire la distorsion de la communication.

Ainsi, si nous sommes les héritiers de la tradition, l'identité narrative que nous héritons de l'histoire n'est jamais stable ni fermée. Elle dépend aussi de la réponse que nous *pouvons* y apporter. L'insistance porte ici sur la capacité de réponse et l'initiative qui la distingue. Ce qui se découvre ici, c'est la dimension éthique de l'homme capable. Ce sera là le dernier foyer des réflexions herméneutiques de Ricœur. La question de la philosophie réflexive « Qui suis-je ? » fera place à la question non moins herméneutique qu'éthique : « Que puis-je ? »

VI. – Une phénoménologie herméneutique de l'homme capable

Nous ne sommes pas seulement les héritiers passifs de l'histoire. Un espace d'initiative nous reste dévolu. Une herméneutique de la conscience historique doit ainsi déboucher sur une phénoménologie des pouvoirs de l'homme capable. En développant une philosophie

1. *Temps et récit,* t. III, 314. Ricœur nuance alors le jugement qu'il avait porté en 1973 quand il parlait d'une dialectique essentielle entre l'herméneutique et la critique des idéologies.

herméneutique de l'ipséité, le dernier Ricœur renoue avec ce qu'il appelle l'une de ses « plus anciennes convictions », à savoir que

« le soi de la connaissance de soi n'est pas le moi égoïste et narcissique dont les herméneutiques du soupçon ont dénoncé l'hypocrisie autant que la naïveté (...). Le soi de la connaissance de soi est le fruit d'une vie examinée, selon le mot de Socrate dans l'Apologie. Or une vie examinée est, pour une large part, une vie épurée, clarifiée, par les effets cathartiques des récits tant historiques que fictifs véhiculés par notre culture. L'ipséité est ainsi celle d'un soi instruit par les œuvres de la culture qu'il s'est appliquées à lui-même »[1].

L'identité narrative variera donc selon les communautés, mais aussi selon les individus. Dans les deux cas, le soi peut reconfigurer dans une certaine mesure son identité narrative. Dans sa phénoménologie de l'homme capable, dont il a rappelé les grandes lignes dans son *Parcours de la reconnaissance* paru un an avant sa mort, Ricœur part des usages principaux selon lesquels se dit le « je peux » en français[2] : « Je peux parler, je peux agir, je peux raconter, je peux me tenir responsable de mes actions, me les laisser imputer comme à leur véritable auteur. » Ces quatre usages ouvrent, respectivement, les champs de la philosophie du langage, de la philosophie de l'action, de la théorie narrative et de la philosophie morale.

Mais le titre général du projet philosophique de Ricœur reste celui d'une « herméneutique du soi »[3]. La formule rappelle à peu de choses près l'idée heideggérienne d'une herméneutique de la facticité. C'est que

1. *Temps et récit,* t. III, 356.
2. *Parcours de la reconnaissance,* Stock, 137-163.
3. *Soi-même comme un autre,* Le Seuil, 1990, 345 ; *Parcours de la reconnaissance,* 137.

l'herméneutique ne porte plus ici sur des symboles ou des textes, suivant les deux premières conceptions de l'herméneutique de Ricœur, mais sur le soi lui-même. L'herméneutique prend ici la forme d'une « ontologie fondamentale » qui donne la préférence aux notions d'acte, de puissance et de possibilité, à la différence de l'acception substantialiste qui aurait prévalu dans la philosophie classique[1]. Ricœur paraît atténuer ici la critique de la véhémence « ontologique » qui caractérisait encore ses premières interventions herméneutiques. Si l'ontologie est pour Heidegger un point de départ, elle sera pour Ricœur un point d'arrivée.

On peut voir dans cette ontologie herméneutique de l'homme capable l'aboutissement de tout le parcours de Ricœur, mais aussi un retour à la problématique réflexive qui avait donné le coup d'envoi à son « détour par l'herméneutique ». Cette herméneutique du soi vient utilement rappeler que l'être-affecté-par-le-passé, sur lequel avait insisté Gadamer, n'est pas la seule détermination de la conscience. L'homme, être de possibilités, peut reconfigurer son monde (mais aussi son passé, par la mémoire, le pardon, la reconnaissance). Ayant tiré des leçons essentielles de l'école du soupçon, cette herméneutique abandonne une fois pour toutes la fausse illusion d'une pleine possession de soi par la réflexion, mais cette destruction ne saurait conduire à une résignation fataliste devant le destin implacable du travail de l'histoire. Elle nous aide, au contraire, à redécouvrir les ressources éthiques du « soi capable » face au mal et à l'injustice réels qui l'entourent.

La portée éthique de cette herméneutique du soi tombe sous le sens. *Soi-même comme un autre* a

1. *La mémoire, l'histoire et l'oubli,* 639.

d'ailleurs développé une « petite éthique »[1], qui s'efforce de cerner la tension éthique fondamentale en disant qu'elle se caractérise par « la visée de la vie bonne avec et pour autrui dans des institutions justes ». Mais ce sens de la justice et de la vie bonne ne tombe pas du ciel. En tant qu'êtres historiques, nous sommes les héritiers de promesses fondatrices[2], donc d'espérances, dont l'herméneutique du soi se veut la mémoire. Ricœur nous permet ainsi de voir que si une herméneutique sans éthique reste vide, une éthique sans herméneutique est aveugle.

1. *Soi-même comme un autre,* 202.
2. *Parcours de la reconnaissance,* 197.

Chapitre VIII

HERMÉNEUTIQUE ET DÉCONSTRUCTION

I. – Déconstruction, herméneutique et interprétation chez Derrida

C'est à une véritable confrontation entre une herméneutique de la confiance et une herméneutique du soupçon qu'a donné lieu la rencontre désormais célèbre entre Hans-Georg Gadamer et Jacques Derrida (1930-2004) qui s'est tenue à Paris en 1981. Pourtant, à la différence des conflits d'interprétation qui opposent le plus souvent les herméneutiques de la confiance et du soupçon, les deux penseurs avaient des origines communes : comme Gadamer, Derrida était aussi parti du programme « herméneutique » de Heidegger dans *Être et temps,* mais il en a surtout retenu le volet « destructeur », c'est-à-dire son intention de mettre à découvert les présupposés métaphysiques de la tradition occidentale.

Derrida reprend tout spécialement l'idée heideggérienne selon laquelle la pensée occidentale, ou « métaphysique » (entendons celle qui, de Platon à Hegel, aspirait à une explication totalisante de l'être), serait régie par une détermination de l'être comme présence[1] :

1. Voir J. Derrida, La structure, le signe et le jeu dans le discours des sciences humaines, *L'écriture et la différence,* Le Seuil, 1967, 411.

l'être, c'est ce qui s'offre à un regard qui lui impose sa visée de domination. Bénéficiant par ailleurs d'une formation structuraliste, Derrida applique cette intuition à l'intelligence des signes, ce qui le conduit à mettre en question la conception jugée « métaphysique » du sens et de la vérité elle-même. Dans la linguistique de Ferdinand de Saussure, la notion de sens s'exprime à travers le doublet du *signifiant* et du *signifié*. Le signifiant (ou le signe) renvoie alors à une « présence signifiée », laquelle incarnerait une présence pleine de la chose ou de la référence. Seulement, dès que l'on essaie de penser ce signifié, on se rend compte que l'on ne peut toujours le faire que dans l'ordre des signes ou du discours. Le « sens » demeure donc différé à jamais, par le jeu de ce que Derrida appelle la « différ*a*nce », où il faut entendre à la fois la *différence* (prétendue) entre le signe et le sens et le *report* (infini) de son accomplissement, car on ne sortirait jamais finalement de l'empire des signes.

Derrida reconnaît par là un rôle prépondérant à la constitution langagière de la compréhension, ce qui semblerait le rapprocher de Gadamer. Mais ici la distance est sans doute plus considérable aux yeux de Derrida que la proximité patente. Derrida s'avère en effet beaucoup plus « structuraliste » que Gadamer ou même Heidegger : alors que pour eux, c'est l'être que le langage porte à la parole, l'« être » ne sera plus pour Derrida qu'un effet de la « différ*a*nce », car il resterait inatteignable hors des signes qui l'expriment. En un texte souvent cité, il écrira qu'il n'y a « pas de hors texte »[1]. On peut se demander ici (ce sera l'une des critiques de Gadamer) si cette déconstruction ne succombe pas, à sa manière, au nominalisme de la

1. *De la grammatologie,* Minuit, 1967, 227.

pensée moderne en se concentrant exclusivement sur l'ordre des signes et des oppositions linguistiques. Ce serait ainsi Derrida qui serait lui-même victime d'une « métaphysique de la présence », en l'occurrence celle des signes eux-mêmes.

La destruction de la métaphysique de Heidegger prend donc chez Derrida la forme d'une déconstruction de la logique de pensée qui nous amène à croire à l'idée d'une présence réelle du sens en dehors des signes qui en suscitent le mirage, mais qui ne verraient toujours qu'à eux-mêmes. Cette radicalisation du projet « destructeur » de Heidegger oblige Derrida à afficher une suspicion certaine face au projet *herméneutique* lui-même. S'il lui apparaît suspect, c'est qu'il l'identifie à une visée d'intelligibilité et de déchiffrement qui cherche un sens ultime derrière les signes (conception qui lui vient peut-être de Ricœur et de son herméneutique « récupératrice » du sens). Non seulement s'agit-il là d'une illusion métaphysique pour Derrida, mais il n'aura de cesse d'y dénoncer une volonté impériale d'*appropriation*. La destruction heideggérienne se marie ici avec la critique de la volonté de compréhension chez Levinas, laquelle ferait nécessairement violence à l'altérité qu'elle chercherait à « posséder » en lui imposant sa visée totalisante. Pour Derrida, l'impératif n'est pas de « comprendre » l'autre, mais d'*interrompre* justement la volonté de compréhension, jugée emblématique de la « métaphysique ».

En un sens qui n'a pas échappé aux commentateurs, Derrida n'en défend pas moins une conception que l'on peut qualifier par ailleurs de « panherméneutique », car elle nie justement qu'il soit possible de trouver un sens hors du discours, tout rapport à l'être relevant du jeu des interprétations. Face à cette

« universalité du langage », Derrida distingue avec soin deux stratégies possibles, ou « deux interprétations de l'interprétation, de la structure, du signe et du jeu » :

1 / « L'une cherche à déchiffrer, rêve de déchiffrer une vérité ou une origine échappant au jeu et à l'ordre du signe, et vit comme un exil la nécessité de l'interprétation. » Derrida pense ici à l'herméneutique classique, encore métaphysique, qui cherche à saisir, sinon à percevoir un « sens », espéré comme une présence vivante, derrière les signes. On songera ici à des auteurs comme Heidegger, Ricœur et Gadamer. Derrida y oppose fièrement une *autre* interprétation de l'interprétation :

2 / « L'autre, qui n'est plus tournée vers l'origine, affirme le jeu et tente de passer au-delà de l'homme et de l'humanisme, le nom de l'homme étant le nom de cet être qui, à travers l'histoire de la métaphysique ou de l'onto-théologie, c'est-à-dire du tout de son histoire, a rêvé la présence pleine, le fondement rassurant, l'origine et la fin du jeu. » Cette idée d'une présence pleine et immédiate n'est plus possible depuis le structuralisme, estime Derrida. C'est la face « triste » de cette « deuxième interprétation de l'interprétation », mais elle comporte aussi un versant libérateur et ludique dans sa renonciation à l'idée d'une vérité contraignante. Derrida dit que c'est Nietzsche « qui a indiqué la voie » à cette « deuxième interprétation de l'interprétation » et c'est avec elle que Derrida se solidarise avec un enthousiasme certain :

« Tournée vers la présence, perdue ou impossible, de l'origine absente, cette thématique structuraliste de l'immédiateté rompue est donc la face triste, négative, nostalgique, coupable, rousseauiste, de la pensée du jeu dont l'affirmation nietzschéenne, l'affirmation joyeuse du jeu du monde et de l'innocence du devenir, l'affirmation d'un monde de signes sans faute, sans vérité, sans origine, offert à une interprétation active, serait l'autre face. »[1]

Dès 1967, Derrida laissait entendre que ces deux interprétations de l'interprétation étaient « absolument inconciliables », son propos étant même d' « aiguiser leur irréductibilité ». Ce sont un peu ces deux interprétations de l'interprétation qui allaient se rencontrer lorsqu'un débat public fut organisé entre Gadamer et Derrida à l'Institut Goethe de Paris en avril 1981.

II. – La rencontre parisienne entre Derrida et Gadamer

En dépit de leurs nombreux points de départ communs – que l'on pense à leur descendance heideggérienne, à leur critique du scientisme, mais surtout à leur thèse commune, quoique différente au sujet de l'universalité du langage –, la rencontre de 1981 aura sans doute été un échec dans la mesure où elle aura donné lieu à un dialogue de sourds[2]. Mais c'est justement à ce titre qu'elle aura peut-être été instructive et même féconde. Elle aura en tout cas été un événement, dont l'importance a pris de l'ampleur avec les années.

Gadamer a d'abord présenté une conférence sur « Le défi herméneutique »[3]. Il y faisait allusion au défi

1. J. Derrida, *L'écriture et la différence,* 427.

2. Les textes présentés lors de la rencontre furent publiés dans la *Revue internationale de philosophie,* n° 151 (1984). On trouve une documentation plus complète dans le collectif édité par D. Michelfelder et R. Palmer, *Dialogue and Deconstruction. The Gadamer-Derrida Encounter,* Suny Press, 1989. Voir aussi le collectif allemand édité par P. Forget, *Text und Interpretation,* Fink, 1984. Le texte présenté par Derrida ne figure que dans les éditions américaine et allemande.

3. On notera que le texte de Gadamer publié par la *Revue internationale de philosophie (= RIP)* ne comprenait que huit pages,

que sa pensée herméneutique avait voulu relever, mais aussi au défi que signifiait pour lui la rencontre avec Derrida, dont l'œuvre lui était assez familière (la réciproque étant peut-être moins vraie). Gadamer pouvait se reconnaître dans une certaine mesure dans le projet derridien qui vise à déconstruire le langage conceptuel de la métaphysique. Mais le maître de l'herméneutique entendait surtout par là le vocabulaire sclérosé de la pensée, celui qui s'est éloigné du « dialogue vivant » dont procède toute langue véritable : la destruction, au sens positif, consiste pour lui à réinscrire un concept devenu vide dans la langue dont il est issu et qui lui donne tout son sens[1]. Mais c'est précisément ce renvoi constant de la pensée au dialogue de la langue vivante qui l'amenait à mettre en question l'idée qu'il y ait un langage fermé de la métaphysique : « Mon idée propre me paraît être celle-ci : il n'existe pas de langage conceptuel, pas même celui de la métaphysique, qui puisse circonscrire la pensée de façon définitive, pour peu que le penseur s'abandonne au langage, ce qui implique qu'il accepte le dialogue avec d'autres penseurs, pensant autrement que lui. »[2]

En rappelant que sa conception du langage jaillissait de l'expérience du dialogue vivant et de sa promesse d'autotranscendance, Gadamer évoquait aussi, dans un esprit bienveillant, les espoirs qu'il attachait

alors qu'il en comptait trente-deux dans l'édition allemande. La version plus longue de ce texte, dont le titre est devenu « Texte et interprétation », se retrouve dans *L'art de comprendre,* t. 2, Aubier, 1991, 193-234.

1. *RIP,* 336. Gadamer reviendra souvent dans ses écrits ultérieurs, notamment dans « Destruction et déconstruction » et « Déconstruction herméneutique » (dans *La philosophie herméneutique,* PUF, 1996) sur ce sens premier de la destruction heideggérienne qui aurait échappé à Derrida.

2. *RIP,* 1984, 334-335.

au dialogue qu'il pensait pouvoir conduire avec Derrida. Cette expérience herméneutique du dialogue, Gadamer l'illustrait à partir de l'expérience de l'art et de l'histoire de la philosophie, où l'interprète entre en dialogue avec ce qui l'interpelle, mais non sans en sortir transformé. Or ce qui nous est dit dans une œuvre d'art, insistait Gadamer, ne peut jamais être épuisé conceptuellement. L'inachèvement de l'expérience de sens fait essentiellement partie de la finitude humaine. Gadamer voulait souligner par là son accord avec l'idée derridienne d'une « différ*a*nce » infinie du sens.

Ces éléments communs étant rappelés, Gadamer explique alors pourquoi cette rencontre « avec la scène française » représente tout un défi pour lui. C'est que Derrida, malgré sa dette envers l'idée de destruction, accuse Heidegger de logocentrisme au motif qu'il continuerait à poser la question du sens ou de la vérité de l'être, pensant ainsi le sens comme une donnée que l'on pourrait trouver quelque part. Ici, Nietzsche serait plus radical pour Derrida avec son idée selon laquelle l'interprétation ne serait pas la découverte d'un sens, mais l'acquiescement au jeu des perspectives et des masques. C'est en ce sens que l'on critiquerait la lecture heideggérienne de Nietzsche « en France » : Nietzsche ne serait pas celui qui aurait porté la métaphysique à son comble en pensant l'être comme valeur, mais plutôt celui qui permettrait de la dépasser mieux que Heidegger, en affirmant le jeu infini des interprétations. Le débat, aux yeux de Gadamer, portait donc sur la question de savoir qui, de Heidegger ou Nietzsche, était le plus radical.

Sur cette question, Gadamer abattait ses cartes en marquant sa solidarité avec Heidegger : « Heidegger dépasse bel et bien Nietzsche. » Gadamer reproche aux héritiers français de Nietzsche ne pas apprécier à sa juste mesure le caractère exploratoire et séducteur de sa pensée. C'est ce qui l'amènerait à penser que l'expérience de l'être de Heidegger serait « moins radicale que l'extrémisme de Nietzsche »[1]. Ce n'est pas le cas selon Gadamer. La supériorité de Heidegger tient au fait qu'il a réussi à inscrire la notion nietzschéenne de « valeur » dans la continuité de la métaphysique occidentale. C'est cette pensée métaphysique de la valeur (et l'aporie d'une pensée qui veut promouvoir une transmutation des valeurs) que Heidegger aurait surmontée en pensant, lui, une expérience de l'être, qui ne se réduit pas à sa manifestation mesurable, donc un être qui ne se livre jamais entièrement, mais qui retient une part de son mystère. Il allait donc plus loin que Nietzsche en envisageant un être qui ne se limite pas à sa valeur comptable et son utilité technique.

C'est une intuition que Gadamer dit avoir reprise avec conviction, non sans lui donner un tour derridien : « C'est ainsi que je me suis toujours efforcé de garder à l'esprit la limite imposée à toute expérience herméneutique du sens. »[2] L'herméneutique reconnaîtrait parfaitement que l'être ne peut jamais faire l'objet d'une compréhension totalisante, comme celle que critiquent et Heidegger et Derrida. En reconnaissant la limite de toute interprétation du sens, l'herméneutique invitait dès lors à s'ouvrir à l'autre, « à la potentialité de l'altérité » : « Avant même qu'il ait pris la parole pour répliquer, il nous aide, par sa seule présence, à découvrir l'étroitesse de nos préjugés, et à les faire éclater. »[3] Cette ouverture à l'autre pa-

1. *RIP,* 1984, 338. Voir H.-G. Gadamer, *L'herméneutique en rétrospective,* Vrin, 2005, 162, 178.
2. *RIP,* 1984, 338.
3. *RIP,* 1984, 340.

raissait témoigner de sa disposition à dialoguer avec Derrida et à apprendre des choses de lui.

La grande surprise de la rencontre de 1981 fut que rien ne paraissait indiquer une pareille disposition chez Derrida. Après l'exposé de Gadamer, Derrida a prononcé sa conférence sur la signature chez Heidegger et Nietzsche, mais où il ne faisait aucune allusion à Gadamer. Nul ne songera à lui en faire reproche, mais l'asymétrie était criante, d'autant que le maître de l'herméneutique était ici l'aîné. Afin de rendre possible un semblant de dialogue, les organisateurs ont donc invité Derrida à poser quelques questions à Gadamer au lendemain de sa conférence. Les trois petites, mais très bonnes questions qu'il a posées à Gadamer ont alimenté tout le débat entre l'herméneutique et la déconstruction.

La première question de Derrida portait sur l'appel à la bonne volonté dont avait parlé Gadamer. Si cette question paraissait au premier coup d'œil assez insolite, c'est qu'elle n'était pas vraiment au centre de sa conférence. Gadamer ne s'en était réclamé que pour souligner l'idée, banale à ses yeux, que ceux qui s'engagent dans un dialogue cherchent à se comprendre et font preuve d'un minimum d'ouverture. Gadamer n'y voyait rien de plus qu'une évidence du sens commun.

Or c'est l'évidence de cette évidence que Derrida mettait en question. Cet axiome inconditionnel, demandait Derrida, « ne suppose-t-il pas que la volonté reste la forme de cette inconditionnalité, le recours absolu, la détermination de dernière instance ? »[1]. C'est la référence à Heidegger qui donnait toute sa portée à cette interrogation : « Est-ce que cette détermination

1. *RIP*, 1984, 342.

de dernière instance n'appartiendrait pas à ce que Heidegger appelle justement la détermination de l'être de l'étant comme volonté ou comme subjectivité volontaire ? Est-ce que ce discours, dans sa nécessité même, n'appartient pas à une époque, celle d'une métaphysique de la volonté ? »

Dans sa seconde question, Derrida cherchait à limiter la prétention de cette bonne volonté en s'autorisant de la psychanalyse, mais aussi de Nietzsche. Derrida laisse alors entendre que sa conception de l'interprétation « serait peut-être plus proche de l'interprétation de type nietzschéen que d'une autre tradition herméneutique ». On pensera spontanément à la seconde interprétation de l'interprétation qu'exaltait *L'écriture et la différence,* celle qui affirme joyeusement le jeu infini des signes, sans vérité, qui renonce dès lors à l'idée d'un déchiffrement ultime. Derrida fut frappé dans ce contexte par l'allusion de Gadamer à l'idée d'un dialogue « vivant », qu'il rattachait à une quête de système : « Ce fut hier soir l'un des lieux les plus décisifs, et selon moi des plus problématiques, de tout ce qui nous fut dit de la cohérence contextuelle, cohérence systématique ou non systématique, car toute cohérence n'a pas nécessairement la forme d'un système. »

Derrida associait par conséquent l'herméneutique à l'idée de système, entendons à une volonté de compréhension, qui confine pour lui à un appétit de domination et de totalisation : comprendre, n'est-ce pas intégrer l'autre dans un système totalisant ? C'est dans la mesure où elle s'oppose à cette volonté de domination que la pensée de Derrida peut être qualifiée d'antiherméneutique.

La troisième question focalisait d'ailleurs le débat sur le terme même de compréhension : « On peut se demander si la condition du *Verstehen* [compréhension], loin d'être le continuum du "rapport", comme cela fut dit hier, n'est pas l'interruption du rapport, un certain rapport d'interruption, le suspens de toute médiation. » Derrida identifie ici la compréhension à une forme de violence infligée à l'autre : la volonté de comprendre ne contraint-elle pas l'autre à se plier, à se conformer aux schèmes de pensée que je lui impose et qui passent, par le fait même, à côté de *sa* spécificité ? Autrement demandé : l'ouverture à l'autre relève-t-elle nécessairement d'un effort de « compréhension » ? On peut exprimer ce soupçon sous la forme d'un paradoxe : est-ce que je comprends *l'autre* lorsque *je* le comprends ?

La première réaction de Gadamer fut marquée par l'incompréhension. Ce qui l'agaçait, c'est que Derrida semblait saper la possibilité même de la rencontre en mettant en question les notions mêmes de bonne volonté, de dialogue et de compréhension. Gadamer avait beau soutenir que son propos se trouvait à mille lieues de toute métaphysique et qu'il faisait seulement allusion à la volonté élémentaire de compréhension qui est celle de celui qui ouvre la bouche pour être compris et les oreilles pour comprendre l'autre, rien n'y fit. Sur de telles bases, l'entente avec Derrida semblait tout à fait impossible.

Or le débat de fond portait précisément sur la possibilité même de la compréhension, et c'est ce qui rend l'échec de l'entente si intéressant dans ce cas particulier. C'est que pour Gadamer, la compréhension est toujours au moins possible, alors que, pour Derrida, elle ne l'est jamais vraiment. Si la compréhension est toujours possible pour Gadamer, c'est que la recherche de sens investit tout langage, mais cela ne veut pas dire pour autant que celle-ci ne soit jamais assouvie. Il se pourrait que ce soit l'inassouvissement de l'effort de compréhension qui anime la recherche de vérité, l'ouverture à un sens, mais qui se diffère toujours, pour reprendre la terminologie de Derrida. C'est cette différence qui incite Derrida à se méfier de la volonté de compréhension. La compréhension rejoint-elle vraiment l'autre ? Ne reste-t-elle pas prisonnière, malgré elle, de systèmes, de structures et de signes, qui font écran à ce qui est enfoui sous les signes et qui ne parvient jamais à se dire ? Le discours, pourrait-on dire, est un peu le pire ennemi du dire, comme la compréhension l'est du sens qu'il faudrait entendre.

III. – Les suites de la rencontre

Une réelle rencontre transforme toujours ses interlocuteurs. Même si la première attitude de Gadamer en fut une de stupéfaction, les objections de Derrida ne sont peut-être pas tombées dans l'oreille d'un sourd. Après la rencontre de 1981, Gadamer est souvent revenu sur son débat avec Derrida[1]. Si le défi posé par Derrida a conduit Gadamer à mettre en relief certaines des différences essentielles entre son projet herméneutique et celui de la déconstruction, il l'a peut-être aussi conduit à réviser tacitement certaines des thèses de son herméneutique.

La critique de Derrida portant sur la métaphysique de la volonté allait un peu trop loin, mais elle aura peut-être conduit Gadamer à atténuer l'aspect un peu « appropriant » du concept de compréhension qu'il avait présenté dans *Vérité et méthode*. La compréhen-

1. Voir les textes plus récents Romantisme, herméneutique et déconstruction (1987), et Sur la trace de l'herméneutique (1994), dans *L'herméneutique en rétrospective,* 161-219.

sion y apparaît en effet comme une forme d'application et d'appropriation : comprendre un sens étranger, c'est le rendre sien par le biais d'une application ou d'une traduction dans notre langue. Or cette notion de compréhension n'obéissait-elle pas à une volonté un peu hégélienne d'appropriation ? Est-ce que je comprends le sens étranger dans sa spécificité lorsque je l'applique à *ma* situation ? On ne saurait trop dire si la critique de Derrida a été déterminante ou non, mais il semble que le dernier Gadamer ait quelque peu corrigé cette conception de la compréhension. On en trouve le témoignage discret dans une petite note qu'il a ajoutée en 1986 au chapitre de *Vérité et méthode* consacré à la distance temporelle, qui précède le chapitre sur l'application : « Ici on risque toujours, dans la compréhension, de s' "approprier" ce qui est autre et d'en méconnaître l'altérité. »[1] Texte très court, mais qui dans ce contexte précis équivaut presque à une autocritique. Certes, Gadamer ne remet jamais expressément en question l'idée que la compréhension comporte une part d'application, mais en 1986, il se montre plus attentif au risque d'une compréhension qui, en s'appropriant l'autre, fait peut-être violence à son altérité. Même s'il ne parlait pas directement de la notion d'application, c'est bien elle que visait Derrida lorsqu'il s'interrogeait sur la métaphysique de la volonté qui serait sous-jacente à la pensée herméneutique. Ainsi, la rencontre de l'herméneutique et de la déconstruction n'aura peut-être pas été aussi stérile qu'on le dit souvent.

Il s'en trouve une dernière confirmation dans une « définition » de l'herméneutique que le dernier Gadamer n'a cessé d'évoquer. Dans ses derniers écrits, Ga-

1. *VM*, 321 ; *GW* I, 305 ; *L'herméneutique en rétrospective*, 167.

damer a volontiers souligné que l'âme de l'herméneutique consistait à reconnaître que « c'est peut-être l'autre qui a raison »[1]. La compréhension apparaît alors moins comme une appropriation que comme une ouverture à l'autre et ses raisons. De même, Gadamer a beaucoup moins parlé dans ses derniers écrits de l'universalité du langage que des « limites du langage » face à tout ce qui peut être dit. L'expérience fondamentale d'une herméneutique de la finitude n'est plus seulement celle de la condition linguistique de la compréhension, mais en même temps celle des limites du langage face à tout ce qui devrait pouvoir être dit[2]. Il n'est pas impossible que ces nouveaux accents de l'herméneutique gadamérienne, sur l'ouverture à l'altérité de l'autre et sur les limites du langage, soient des fruits de la rencontre entre la déconstruction et l'herméneutique.

IV. – Le dernier dialogue entre Derrida et Gadamer

On a longtemps cru que Gadamer avait été le seul à poursuivre son dialogue intérieur avec Derrida. Or, après la mort de Gadamer, le 13 mars 2002, Derrida a confessé que ce dialogue n'avait aussi jamais cessé de l'accompagner. Le 15 février 2003, il a prononcé une conférence à la mémoire de Gadamer à l'Université de Heidelberg sous le titre *Béliers. Le dialogue ininterrompu : entre deux infinis, le poème* (Galilée, 2003).

1. Voir Un entretien avec Hans-Georg Gadamer, *Le Monde* du 3 janvier 1995 ; *L'héritage de L'Europe*, Rivages, 1996, 141.
2. Voir l'essai de 1985 sur Les limites du langage, dans *La philosophie herméneutique*, 169-184, et L'Europe et l'*oikoumenè*, où l'on peut lire (p. 230) que « le principe suprême de l'herméneutique philosophique est que nous n'arrivons jamais à dire ce que nous aimerions dire ».

Le titre de la conférence, qui proposait une lecture magistrale d'un poème de Celan, reprenait déjà une idée chère à Gadamer, celle de dialogue. Mais le paradoxe est que Derrida parle d'un « dialogue ininterrompu » au moment précis où la mort est venue l'interrompre. Mais pour Derrida, cette mort fait intimement partie du dialogue qui se noue entre deux amis. La loi implacable de l'amitié est que l'un des amis survivra à la mort de l'autre. Il revient alors au survivant de porter son ami en lui-même. Le « dialogue ininterrompu » est celui que Derrida se sait condamné à poursuivre seul, en portant l'autre en soi, suivant le leitmotiv qu'il tire du vers de Celan : « Le monde s'en est allé / à moi maintenant de te porter. » Tout se passe comme si Derrida voulait répondre par là à l'idée d'un « dialogue vivant », évoquée par Gadamer en 1981, par celle d'un dialogue posthume, où le survivant doit faire parler en lui la voix de l'ami disparu.

L'idée d'un dialogue « ininterrompu » n'est pas sans faire écho au rôle tenu par la notion d'interruption lors de la confrontation de 1981. La troisième question de Derrida se demandait déjà si l'idée de compréhension ne devait pas se comprendre à partir de l'idée d'interruption plutôt que celle de continuité : « On peut se demander si la condition du *Verstehen,* loin d'être le continuum du “rapport”, comme cela fut dit hier, n'est pas l'interruption du rapport, un certain rapport d'interruption, le suspens de toute médiation ? » Cette notion de rupture a peut-être quelque chose à voir avec ce que Derrida affirme par ailleurs à propos du caractère testamentaire de toute parole : elle est un legs qui survit à son auteur, et que l'ami doit porter en lui lorsque l'un des deux disparaît.

Derrida a livré un autre témoignage de cette amitié dans un texte qu'il a fait paraître en allemand deux semaines seulement après la mort de Gadamer, sous le titre « Comme il avait raison ! Mon Cicérone, Hans-Georg Gadamer »[1]. Il y révélait la tendre admiration qu'il avait toujours eue pour Gadamer, ce bon vivant, qui aimait tant vivre, et dont il enviait la capacité d'affirmer la vie, dont Derrida se disait privé. C'est pourquoi, avoue Derrida :

« Je ne crois pas à la mort de Gadamer. Je n'y arrive pas. J'avais pris l'habitude, si j'ose dire, de croire que Gadamer ne mourrait jamais. Qu'il n'était pas un homme à mourir. (...) Depuis 1981, date de notre première rencontre (...), tout ce qui me venait de lui me donnait une sérénité dont j'avais l'impression que Gadamer lui-même, en personne, me la communiquait, par une sorte de contagion ou de rayonnement philosophique. J'aimais tant le voir vivre, parler, rire, marcher, boiter même, et manger, et boire. Tellement plus que moi ! J'enviais cette force qui en lui affirmer la vie. Elle paraissait invincible. J'étais même convaincu que Gadamer méritait de ne pas mourir, parce que nous avions besoin de ce témoin absolu, de celui qui assiste et participe à tous les débats philosophiques du siècle. »

Et c'est parce que Gadamer méritait de ne jamais mourir que Derrida pensait pouvoir reporter à l'infini le dialogue avec sa pensée, auquel il avoue s'être un peu dérobé en 1981. La disparition brutale de Derrida le 9 octobre 2004 aura interrompu ce dialogue posthume. C'est donc à leurs amis qu'incombe la tâche de poursuivre cet entretien entre « deux infinis », l'herméneutique et la déconstruction.

1. Dans G. Leroux, C. Lévesque et G. Michaud (dir.), *« Il y aura ce jour... ». À la mémoire de Jacques Derrida,* Montréal, À l'impossible, 2005, 53-56 ; repris dans la revue *Contrejour,* 2006.

Chapitre IX

L'HERMÉNEUTIQUE POSTMODERNE : RORTY ET VATTIMO

À la différence de Derrida, Richard Rorty (né en 1931) et Gianni Vattimo (né en 1936) se sont expressément réclamés de la pensée herméneutique, mais pour l'infléchir dans un sens plus « relativiste » ou « postmoderne ». Les deux s'appuient sur la formule célèbre de Gadamer : « L'être qui peut être compris est langage », mais pour en tirer la conclusion qu'il est illusoire de prétendre que notre compréhension porte sur une réalité objective qui pourrait être atteinte par notre langage. C'est parce que tout ne relève finalement que du langage qu'il faudrait renoncer à l'idée d'une adéquation de la pensée au réel. C'est ce qui conduit Rorty au pragmatisme et Vattimo à un nihilisme heureux.

I. – Rorty : le congé pragmatiste signifié à la notion de vérité

Dans son ouvrage *Philosophy and the Mirror of Nature* paru en 1979, Rorty fait la promotion d'une nouvelle alliance entre le pragmatisme américain et l'herméneutique d'obédience gadamérienne. Son intention est de montrer pourquoi la philosophie doit faire son deuil d'une connaissance qui se voudrait un simple « miroir du réel », où Rorty ne voit qu'une simple métaphore ou un effet de langage. Il met également en question l'idée, dominante dans le monde anglo-saxon, selon laquelle la philosophie devrait être une « théorie de la connaissance » ou une épistémologie, dont la tâche serait d'expliquer comment notre connaissance se rapporte à la réalité.

En soi, cette critique du positivisme ou de l'empirisme inhérent à l'épistémologie anglo-saxonne n'est pas très originale. Elle avait été inaugurée par le pragmatisme de Quine et sa dénonciation des « dogmes de l'empirisme », dont celui de la référence au monde réel, mais aussi par le travail de l'historien des sciences Thomas Kuhn qui avait montré, dans son ouvrage célèbre sur *La structure des révolutions scientifiques* (1962), que l'acceptation des théories scientifiques devait beaucoup au langage, à la rhétorique et à des croyances qui relèvent moins de la preuve scientifique que des « paradigmes » en vigueur et qui définissent les normes de la rationalité scientifique d'une époque donnée.

L'originalité de Rorty réside dans le fait qu'il se réclame massivement de la pensée de Gadamer, jusqu'alors peu connue dans le monde anglophone, mais surtout dans sa conviction selon laquelle la discipline même de l'épistémologie doit être remplacée par une pensée herméneutique. Le chapitre VII porte d'ailleurs le titre : « De l'épistémologie à l'herméneutique ». L'erreur serait cependant de croire que l'herméneutique doit se substituer à l'épistémologie parce sa conception serait plus adéquate ou plus conforme au réel. Non, l'intérêt de l'herméneutique est pour lui de renoncer à cette idée et d'avancer l'idée d'une tout autre culture humaine :

« Mon propos n'est pas de présenter l'herméneutique comme une discipline qui serait l' "héritière" de l'épistémologie, comme si elle visait à satisfaire le vide culturel que remplissait, en son temps, la philosophie centrée sur la théorie de la connaissance. Dans l'interprétation que je proposerai, l' "herméneutique" n'est pas le nom d'une discipline ou d'une méthode censée nous permettre de réussir là où la théorie de la connaissance a échoué, et elle n'est pas non plus le nom d'un programme de recherche. Au contraire, l'herméneutique est l'expression de l'espoir que l'espace culturel ouvert par le déclin de l'épistémologie ne sera pas rempli, elle est l'expression de l'espoir que notre culture deviendra une culture où l'exigence de contrainte et de confrontation ne sera plus sentie. »[1]

Aux yeux de Rorty, l'herméneutique n'offre pas de méthode, ou une meilleure méthode pour atteindre la vérité, elle nous apprend seulement à vivre sans l'idée de vérité, entendue au sens de la correspondance au réel. La recherche de la vérité peut alors être remplacée par une culture qui exalte plutôt les idéaux de l'édification et de la conversation. Rorty s'autorise ici de l'idée de *Bildung* (culture) dans *Vérité et méthode*. Gadamer l'avait évoquée afin de montrer que le savoir des sciences humaines n'était pas un savoir méthodique ou à distance, mais de formation, qui impliquait une transformation des agents eux-mêmes. Rorty en tire des conséquences plus relativistes :

« Gadamer commence *Vérité et méthode* par une discussion du rôle de la tradition humaniste qui a donné à la notion de *Bildung* le sens de quelque chose "qui serait à soi-même sa propre fin". Pour qu'une telle notion prenne tout son sens, il est indispensable de saisir la relativité de tout discours descriptif par rapport aux époques, aux traditions et aux accidents historiques dont il est issu. Or c'est là ce que peut faire la tradition humaniste en éducation, mais c'est ce que ne saurait accomplir une formation qui suit les résultats des sciences exactes. »[2]

1. R. Rorty, *L'homme spéculaire,* Le Seuil, 1990, 349 ; *Philosophy and the Mirror of Nature,* Princeton UP, 1979, 315.
2. *Ibid.*, 398 ; *Philosophy,* 362.

Suivant cet idéal de formation, la tâche de la philosophie ne serait pas de proposer des descriptions plus justes du réel, mais seulement de promouvoir la poursuite de la conversation entre les humains. C'est que la connaissance ne transcenderait jamais l'ordre de la conversation pour atteindre un monde de réalité ou d'essences.

Si l'ouvrage de Rorty qui cherchait à opérer une transformation herméneutique de la philosophie analytique a largement contribué à mieux faire connaître la pensée herméneutique dans le monde anglo-saxon, c'est l'un de ses indéniables mérites, il l'a orientée dans un sens relativiste qui était assez étranger à Gadamer : difficile de penser qu'un auteur qui intitule son maître ouvrage *Vérité et méthode* veuille renoncer à l'idée de vérité !

Rorty a de nouveau loué les vertus de l'herméneutique telle qu'il l'entend dans une conférence qu'il a prononcée le 12 février 2000 à Heidelberg, à l'occasion du centenaire de Gadamer. Il s'est alors réclamé de l'adage emblématique « l'être qui peut être compris est langage », mais pour lui donner un sens purement « nominaliste », qu'il caractérise de la manière suivante : « J'entends par "nominalisme" l'idée selon laquelle toutes les essences sont nominales et toutes les nécessités *de dicto* [propres au discours]. Cela revient à dire qu'aucune description n'est plus vraie ou plus conforme à la nature de l'objet que ne l'est toute autre description. »[1] Ainsi, « un nominaliste cohérent insistera pour dire que le succès du vocabulaire corpusculaire au plan de la prédiction et de l'explication n'a aucune incidence sur son statut onto-

1. R. Rorty, Being that can be understood is language, *London Review of Books,* 16 mars 2000, 23-25.

logique et que l'idée même d'un "statut ontologique" doit être abandonnée ».

Cet abandon de l'ontologie est aussi plutôt étranger à Gadamer. Le titre de la dernière partie de *Vérité et méthode* annonce justement un « infléchissement ontologique » de l'herméneutique sous le fil conducteur du langage. Le langage n'est pas pour Gadamer ce qui fait écran à l'être, mais, bien au contraire, l'élément dans lequel l'être se révèle lui-même. On ne saurait parler ici de nominalisme, car le langage est pour Gadamer celui des choses avant que d'être celui de notre pensée. Toute la critique gadamérienne à propos de l'oubli du langage dans la pensée occidentale vise d'ailleurs à dénoncer la conception instrumentaliste et nominaliste qui fait du langage un instrument de la pensée souveraine face à un réel qui serait privé de sens sans lui. Or c'est ni plus ni moins que ce nominalisme que cherche à réhabiliter Rorty :

> « Nous ne comprenons jamais quelque chose qu'à travers une description, mais il n'y a pas de descriptions privilégiées. Il n'y a aucun moyen de remonter derrière notre langage descriptif, vers l'objet tel qu'il est en lui-même, et ce n'est pas parce que nos facultés sont limitées, mais parce que la distinction entre le "pour nous" et l' "en soi" est une relique d'un vocabulaire descriptif, celui de la métaphysique, qui a perdu son utilité. »[1]

Bien que Rorty prétende se réclamer d'une nouvelle « culture gadamérienne », il est difficile de ne pas reconnaître ici l'apogée du constructivisme moderne pour lequel le monde se réduit à la conception que nous nous en faisons. C'est ce nominalisme qui comprend le langage de manière purement instrumentale

1. *Ibid.*

que Gadamer critique avec force. L'adage « l'être qui peut être compris est langage » n'est pas à entendre chez lui en un sens nominaliste, où l'être se réduit à la description que nous en donnons, mais en un sens ontologique : c'est l'être lui-même qui vient à se dire en langage et c'est son langage qui nous permet de corriger les descriptions inadéquates que nous en proposons.

Si Rorty interprète l'herméneutique de manière aussi anti-ontologique et nominaliste, Vattimo en tire des conséquences non moins relativistes, mais qui l'amènent à défendre l'idée d'une ontologie nihiliste.

II. – **Vattimo : « pour » un nihilisme herméneutique**

Vattimo parle de façon tout à fait positive de la « vocation nihiliste » de l'herméneutique. Cette thèse s'accompagne chez lui d'une critique de Gadamer, que l'on ne trouve pas vraiment chez Rorty. Il estime en effet que l'herméneutique n'a pas développé pour elle-même l'ontologie nihiliste vers laquelle elle tend secrètement. Sans cette ontologie plus radicale et plus conséquente, l'herméneutique resterait certes la *koinè* de la pensée contemporaine, mais une *koinè* trop œcuménique et sans tranchant réel, qui se bornerait à dire que tout est affaire d'interprétation[1]. La signification philosophique de l'herméneutique en serait alors diluée. Cette critique procède elle-même d'une lecture assidue de Heidegger et de Nietzsche, qui avaient beaucoup parlé de « nihilisme », ce qui n'est pas vrai-

1. G. Vattimo, La vocation nihiliste de l'herméneutique, *Au-delà de l'interprétation. La signification de l'herméneutique pour la philosophie,* Éd. de Boeck, 1997, 9-22.

ment le cas de Gadamer. Le nihilisme veut dire ici que l'on ne peut rien dire de l'être, toute vérité relevant de l'interprétation, de la tradition et du langage.

Une herméneutique conséquente devrait déboucher selon Vattimo sur une ontologie nihiliste : l'être n'est rien en lui-même, se réduisant à notre langage et nos interprétations. Cette thèse s'expose bien sûr à l'objection de n'être elle-même qu'une interprétation. Comment la justifier ? On ne peut le faire, estime Vattimo, que si l'on reconnaît que l'herméneutique se veut elle-même une réponse à l'histoire de l'être interprétée comme avènement du nihilisme. On en vient ainsi à voir dans le « nihilisme » un « affaiblissement interminable [du discours sur] de l'être »[1], qui aurait caractérisé l'histoire de notre modernité et qui justifierait le bien-fondé de l'herméneutique comme *koiné* universelle. Si elle veut être cohérente, « l'herméneutique ne peut que se présenter comme l'interprétation philosophique la plus convaincante possible d'une situation, d'une "époque" et donc, nécessairement d'une provenance ». En se présentant comme l'aboutissement cohérent d'une histoire et d'une provenance, l'herméneutique justifierait sa propre prétention à l'universalité.

L'adage de Gadamer, « l'être qui peut être compris est langage » doit donc être compris en un sens radicalement nihiliste, voisin de celui que lui prêtait Rorty. Cette phrase, estime Vattimo, « n'a pas simplement le sens banal d'identifier le champ de la compréhension avec cette espèce d'être qui se présente comme langage ». Contre cette lecture trop faible, Vattimo propose « une lecture ontologique radicale », celle de l'identification de l'être et du langage, thèse que

1. *Ibid.*, 21.

Gadamer n'aurait pas pensée jusqu'au bout, mais qui serait le seul aboutissement proprement rigoureux de sa pensée[1]. Dans cette vision des choses, l'être se trouve happé par le langage et la perspective qui l'enserre. Même si elle se présente comme « postmoderne », cette lecture est tout à fait conforme à l'esprit de la modernité, qui reconduit tout sens à une subjectivité, à cette différence près que cette subjectivité se sait maintenant historique.

Or c'est dans un sens opposé qu'allaient l'herméneutique, et l'ontologie de Gadamer : ce n'est pas l'être qui est happé par le langage, mais notre langage qui est saisi par l'être, le langage étant d'abord la « lumière » de l'être lui-même.

Pour mieux voir la différence des herméneutiques, il peut être utile de porter attention au rôle particulier qu'ont pu jouer des auteurs comme Nietzsche et Heidegger pour les héritiers postmodernes de Gadamer, aussi bien Vattimo que Rorty (mais aussi Derrida). Le Nietzsche qui importe à leurs yeux est celui qui stipule qu'il n'y a pas de faits, mais seulement des interprétations, et leur heideggérianisme s'inspire surtout de la dernière philosophie de Heidegger, qui soutient que notre compréhension est déterminée de part en part par le cadre englobant de l'histoire de l'être, pensée comme l'avènement du nihilisme. Les auteurs postmodernes ont spontanément associé cette perspective nietzschéenne et heideggérienne à la pensée de Gadamer, notamment à sa critique de l'objectivisme en sciences humaines et à son insistance sur le rôle des préjugés et le caractère langagier de notre compréhen-

1. G. Vattimo, Histoire d'une virgule. Gadamer et le sens de l'être, *Revue internationale de philosophie,* n° 213 (2000), p. 502 et 505.

sion. Mettant en évidence ces aspects de la pensée gadamérienne, ils ont cru que l'herméneutique conduisait au rejet de la notion classique de vérité, entendue comme adéquation à l'être.

Cette perspective nietzschéenne leur a toutefois fait perdre de vue la portée encore ontologique de l'herméneutique. Pour la pensée de Gadamer, Nietzsche n'est pas vraiment un allié, mais celui qui a porté à son comble le nominalisme de la pensée moderne qui réduit l'être à ce qu'il signifie pour la pensée ou la volonté, le langage n'étant plus qu'un instrument du sujet. Dans un tel contexte où tout dépend du sujet, il est clair qu'il n'y a pas de vérité objective, ni de valeurs contraignantes. Mais cette absence de valeur et de vérité ne tient, observe Gadamer, que si l'on reste à l'intérieur du cadre de la pensée moderne, pour laquelle le monde n'a pas de signification ni d'ordre sans la subjectivité donatrice de sens. Or, c'est justement cette idée d'un sujet souverain qui se trouverait en face d'un monde sans forme et que l'on présume d'emblée privé de sens, que l'herméneutique nous permet de mettre en question. L'herméneutique nous aide ainsi à redécouvrir l'être et à surmonter le nihilisme.

Conclusion

LES VISAGES DE L'UNIVERSALITÉ DE L'HERMÉNEUTIQUE

Si l'herméneutique représente la *koinè* de notre temps, elle offre un visage plus contrasté qu'on ne le croit souvent. En tant que philosophie, l'herméneutique prétend mettre le doigt sur une composante universelle de notre expérience du monde, mais cette universalité peut être comprise de manière très différente. On peut le montrer en partant de l'adage le plus élémentaire pour exprimer cette universalité : « Tout est affaire d'interprétation. » Les différents sens que l'on peut reconnaître à cette formule peuvent être associés aux grands représentants de l'herméneutique, mais aussi aux « herméneutes anonymes », qui défendent cette thèse mais sans se réclamer eux-mêmes de la tradition herméneutique. On verra que chacune de ces interprétations a des conséquences pour la conception de la vérité :

1 / La formule « tout est affaire d'interprétation » peut d'abord se lire en un sens *nietzschéen,* celui d'un *perspectivisme de la volonté de puissance,* idée qu'avaient certainement anticipé les sophistes du temps de Platon : « il n'y a pas de faits, il n'y a que des interprétations. » Dans un tel contexte, il n'y a pas vraiment de vérité, au sens de l'adéquation à la chose, la vérité n'étant, ajoute méchamment Nietzsche, que « cette espèce d'erreur sans laquelle une espèce d'êtres bien déterminés ne pourrait pas vivre ». Ce que l'on

tient pour la vérité n'est qu'une perspective, parmi d'autres, secrètement dictée par une volonté de puissance qui cherche à s'imposer.

La difficulté de cette théorie perspectiviste est qu'il y a bel et bien des faits, des erreurs et des aberrations. C'est un fait, et non une interprétation, que de dire que Paris (et non Marseille) est la capitale de la France, qu'une molécule d'eau se compose d'un atome d'oxygène et de deux (et non trois) atomes d'hydrogène et que je ne suis jamais allé sur Pluton.

2 / Le perspectivisme peut être compris en un sens plus *épistémologique* : la thèse veut alors dire qu'il n'y a pas de connaissance du monde sans schème préalable, sans « paradigme » d'interprétation (selon la thèse de Thomas Kuhn dans *La structure des révolutions scientifiques*)[1]. D'après Kuhn, toute science opère sur la base de représentations générales du monde qui découpent un cadre d'intelligibilité et de cohérence à l'intérieur duquel on peut distinguer la vérité de la fausseté. Mais ce cadre est lui-même variable et sujet à des révolutions scientifiques qui viennent bouleverser les paramètres reçus. Un paradigme réussit alors à en détrôner un autre. La vérité est ici envisageable, mais dépend d'un paradigme donné (la question de la vérité des paradigmes eux-mêmes faisant l'objet de discussions en épistémologie).

3 / La thèse « tout est interprétation » peut recevoir un sens plus généralement *historique* : toute interprétation est fille de son temps. Cette vision correspond à ce que l'on peut appeler l'historicisme. C'est lui que

1. En 1962, Kuhn ignorait tout de la tradition herméneutique, mais il l'évoque avec assentiment dans son dernier livre, *La tension essentielle : tradition et changement dans les sciences* (1977), Gallimard, 1990.

l'herméneutique classique et méthodologique (Dilthey) cherchait le plus souvent à contenir, mais que le relativisme postmoderne salue souvent comme une libération : il nous délivrerait de la conception de la vérité comme adéquation, la vérité n'étant plus qu'une « perspective utile ». En régime historiciste, la vérité reste possible, mais interpréter en vérité un phénomène veut dire qu'on le comprend à partir de son contexte. Une vérité non contextuelle paraît exclue.

4 / L'adage peut s'entendre d'une manière plus *idéologique* : il signifie alors que toute vision du monde serait guidée par des intérêts plus ou moins avoués. On pensera ici à Marx, Freud, à la critique des idéologies et tous ceux que Ricœur appelle les maîtres du soupçon. Cette suspicion donne naissance à une herméneutique des profondeurs qui élève une très forte prétention de vérité, mais qui reste un peu idéale, sinon eschatologique : non seulement demeure-t-elle l'apanage du théoricien (initié, lui, à la vérité dernière des phénomènes), mais son « objet » ne sera en mesure de la connaître pleinement que lorsqu'il sera délivré de l'idéologie qui déforme actuellement sa conscience. C'est cette vérité idéale que le théoricien anticipe lorsqu'il critique l'état existant d'une société ou d'une conscience.

Ce sont là des formes tout à fait actuelles et pertinentes de l'ubiquité herméneutique, mais les principaux représentants de la tradition herméneutique ont défendu des conceptions plus ciblées de cette universalité :

5 / Pour Heidegger, l'universalité de l'herméneutique comporte surtout un sens *existential* : étant une interrogation pour lui-même, l'homme est d'emblée un être voué à l'interprétation. Il a besoin d'interprétation et vit dès toujours au sein d'interprétations,

mais qu'il peut néanmoins élucider. Cette dramatisation un peu augustinienne de l'herméneutique en fait une philosophie universelle de la « facticité » humaine qui vise à tirer celle-ci de l'oubli de soi dans lequel elle s'abîme si volontiers. Ici, la vérité-correspondance est certainement préservée. Heidegger souligne d'ailleurs que la tâche première de l'interprétation est d'élaborer ses projets de compréhension à même les choses elles-mêmes. Mais cela veut dire qu'il est possible d'esquisser des projets qui soient conformes à ce que peut être l'existence lorsqu'elle s'assume elle-même. S'il faut détruire les « mauvaises » interprétations, celles qui sont inadéquates ou recouvrantes parce qu'elles nous éloignent de notre finitude, c'est donc à l'aune d'un idéal d'authenticité.

6 / Pour un auteur comme Gadamer, comme bien d'autres, l'universalité de l'herméneutique doit surtout être entendue en un sens *langagier* : toute interprétation, tout rapport au monde, présuppose l'élément du langage, l'accomplissement et l'objet de la compréhension étant nécessairement langagiers. Dans cet univers, la vérité-correspondance est aussi possible, mais il s'agit toujours d'une adéquation au langage des choses elles-mêmes. Il est ainsi possible de réviser nos interprétations en les confrontant à ce que *disent* les choses elles-mêmes, donc à leur langage. Cette façon de parler est moins curieuse qu'il n'y paraît. Si l'on peut dire que la thèse selon laquelle « le Soleil tourne autour de la Terre » est fausse, c'est qu'elle vient réfuter ce que « dit » le réel lui-même, son « évidence ». Ainsi, une conception scientifique ou philologique peut toujours être réfutée par une compréhension plus adéquate qui en appelle au langage du réel lui-même, à l'évidence des choses, même si celle-ci n'apparaît qu'à travers le langage. Ce langage est d'abord pour Gadamer celui

des choses elles-mêmes avant que d'être celui de notre esprit (lequel le reçoit plutôt des choses).

Cette conception de l'universalité du langage n'est pas la seule qui soit défendue en herméneutique.

7 / La thèse la plus répandue est sans doute celle qui va dans le sens *postmoderne* (et très moderne, en l'occurrence), qui voit plutôt dans le langage une « mise en forme » du « réel », schématisation qui rendrait caduque l'idée même d'une réalité à laquelle nos interprétations pourraient être dites conformes (la réalité étant elle-même « constituée » par nos interprétations). Cette thèse postmoderne s'autorise volontiers des sens perspectiviste, cognitif, historique, idéologique, existential et langagier que nous venons de distinguer, et à chaque fois pour contester l'idée jugée chimérique d'une adéquation au réel. On peut associer cette herméneutique au perspectivisme de la volonté de puissance évoqué plus haut (1), mais la pensée postmoderne se distingue par son idée selon laquelle le sens serait circonscrit par un cadre interprétatif englobant, plus ou moins rigide, qui provient tantôt de l'histoire de la « métaphysique » (Derrida), tantôt de l'*épistémè* générale d'une époque (Foucault), tantôt de la tradition (Vattimo) ou du cadre d'utilité générale qui détermine notre culture (Rorty). Ici non plus, il n'y a pas d'adéquation, sinon au sein d'un ordre donné, mais l'effacement de toute référence extralinguistique rend possible une nouvelle tolérance vis-à-vis de la pluralité des interprétations. Si cette charité est assez louable, la dissolution de la notion de vérité s'avère singulièrement fatale à cette conception de l'herméneutique : pourquoi cette théorie serait-elle plus vraie qu'une autre ?

Or, si l'herméneutique est vraiment universelle, c'est d'abord parce que nous sommes des êtres qui vivent d'emblée dans l'élément insurpassable du sens, d'un sens que nous nous efforçons de comprendre et que nous présupposons dès lors nécessairement. Mais ce sens est toujours le sens des choses elles-mêmes, de ce qu'elles veulent dire, un sens qui dépasse assurément nos pauvres interprétations et l'horizon limité, mais, Dieu merci, toujours extensible de notre langage.

BIBLIOGRAPHIE

Augustin, *La doctrine chrétienne,* Institut d'études augustiniennes, 1997.

Bultmann R., Le problème de l'herméneutique (1950), dans *Foi et compréhension,* Le Seuil, 1970, 599-626.

Derrida J., *L'écriture et la différence,* Le Seuil, 1967 ; Questions à Gadamer, dans *Revue internationale de philosophie,* n° 151 (1984), 341-343 ; *Béliers,* Galilée, 2003.

Dilthey W., Origines et développement de l'herméneutique (1900), dans *Le monde de l'esprit,* Aubier, 1947, t. I, 313-340 ; *L'édification du monde historique dans les sciences de l'esprit,* Le Cerf, 1988.

Gadamer H.-G., *Vérité et méthode* (1960) *[VM],* tr. partielle : Le Seuil, 1976 ; intégrale : Le Seuil, 1996 ; *L'art de comprendre. Écrits I,* Aubier, 1982 ; *Écrits II,* Aubier, 1991 ; *Langage et vérité,* Gallimard, 1995 ; *La philosophie herméneutique,* PUF, 1996 ; *Herméneutique et philosophie,* Beauchesne, 1999 ; *Les chemins de Heidegger* (1983), Vrin, 2002 ; *Esquisses herméneutiques* (2000), Vrin, 2004 ; *L'herméneutique en rétrospective* (1995), Vrin, 2005.

Greisch J., *Herméneutique et grammatologie,* Éd. du CNRS, 1977 ; *Paul Ricœur. L'itinérance du sens,* Millon, 2001 ; *Le cogito herméneutique,* Vrin, 2003.

Grondin J., *L'universalité de l'herméneutique,* PUF, 1993 ; *L'horizon herméneutique de la pensée contemporaine,* Vrin, 1993 ; *Introduction à Hans-Georg Gadamer,* Le Cerf, 1999 ; *Le tournant herméneutique de la phénoménologie,* PUF, 2003 ; *Du sens de la vie,* Bellarmin, 2003.

Habermas J., L'approche herméneutique, *La logique des sciences sociales* (1967), PUF, 1987, 184-215.

Heidegger M., *Être et temps* (1927), Gallimard, 1986 ; Authentica, 1985 ; *Acheminement vers la parole* (1959), Gallimard, 1976.

Ricœur P., *Philosophie de la volonté,* t. II : *Finitude et culpabilité,* Aubier, 1960 ; *De l'interprétation. Essai sur Freud,* Le Seuil, 1965 ; *Le conflit des interprétations,* Le Seuil, 1969 ; *La métaphore vive,* Le Seuil, 1975 ; *Temps et récit,* 3 t., Le Seuil, 1982-1985 ; *Du texte à l'action,* Le Seuil, 1986 ; *Soi-même comme un autre,* Le Seuil, 1990 ; *Réflexion faite. Autobiographie intellectuelle,* Esprit, 1995 ; *La mémoire, l'histoire, l'oubli,* Le Seuil, 2000 ; *Parcours de la reconnaissance,* Stock, 2004.

Rorty R., *Philosophy and the Mirror of Nature,* Princeton University Press, 1979, tr. *L'homme spéculaire,* Le Seuil, 1990 ; Being that can be understood is language, *London Review of Books,* 16 mars 2000, 23-25.

Schleiermacher F., *Herméneutique,* Labor & Fides, 1988 ; Le Cerf, 1989.

Vattimo G., *La fin de la modernité : nihilisme et herméneutique dans la culture post-moderne,* Le Seuil, 1987 ; *Éthique de l'interprétation,* La Découverte, 1991 ; *Au-delà de l'interprétation. La signification de l'herméneutique pour la philosophie,* Éd. de Boeck, 1997.

TABLE DES MATIÈRES

Imprimé en France
par Vendôme Impressions
Groupe Landais
73, avenue Ronsard, 41100 Vendôme
Mars 2006 — N° 52 880